南越王国传奇

北望长安系列丛书

单磊 著

中国国际广播出版社

赵佗像

赵眜文印

赵眜文印

文帝行玺金印

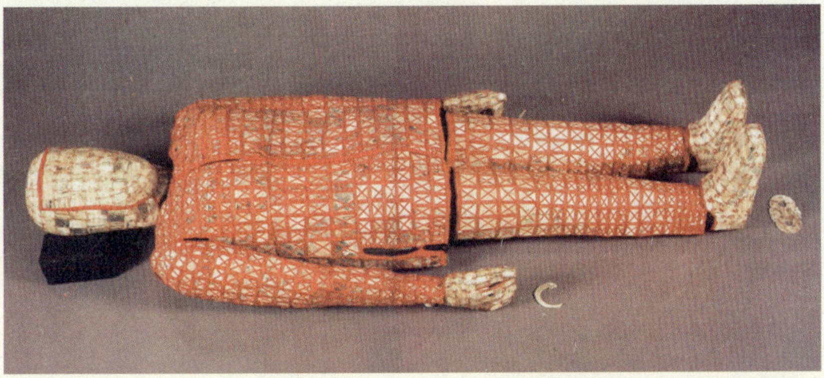

南越文王墓中出土的丝缕玉衣

南越文王墓中出土的金钩玉龙

南越文王墓中出土的龙凤纹重环玉佩

今人塑赵佗“和辑百越”像

南越国宫署遗址

南越国木构水闸遗址

广东省龙川县越王庙碑石

目　录

南越王尉佗者、真定人也、姓赵氏。秦时已并天下、略定杨越、置桂林、南海、象郡、以谪徙民、与越杂处十三岁。

——《史记·南越列传》

序　篇

寻找两千年前失落的南越古国

曾经雄踞岭南、威震万里边陲的南越古国，虽然最终湮没于西汉大一统的版图之中，但在立国近百年中发生的恩怨情仇、是非纷扰，历经两千多年的孤寂后终于重见天日。尘封已久的南越古国会以什么样的姿态展现她的魅影给世人？

第一章
寻梦桃花源：回溯千百年前的岭南之地

始入百越之境，层峦叠嶂，石突峰兀，丝竹缠绵，风帘翠幕，微风飒爽，莺歌燕舞，鸿飞冥冥。夜宿山谷，山风习习，薄雾缭绕，缥缈虚幻，如临仙境，有魅影掩青山之术。遥望娇翠欲滴之山峰，万木竞秀，飞花点翠，似近还远，若有若无，当浮华略尽，唯留绿意丝丝。俯望一泓碧水，清波微漾，白云倒映，鱼虾浮动。

唐宋变革以前，岭南好比一处桃花源，远离中原的纷纷扰扰，少了几分喧嚣，多了几分宁静。不可否认，在中国历史的前期，岭南一直是中国文化的“配角”，一直以中原王朝的后花园自居，静谧而神秘，恰似超凡脱俗的仙人，又似归隐山林的处士，与世无争，去留无意，落得一个雅静清幽、心旷神怡。

一、江山如此多娇：风华绝代的岭南尊容

岭南自然风光婀娜多姿，既有气势磅礴的山峦，也有水网纵横的平原；既有岩溶洞穴，也有川峡险滩，更有海天一色的港湾风光。山河壮美，怎能不令人怀抱美好的憧憬！

公元前196年，素有“汉初第一辩士”美誉的陆贾奉诏出使南越国。始入百越之境，层峦叠嶂，石突峰兀，丝竹缠绵，风帘翠幕，微风飒爽，莺歌燕舞，鸿飞冥冥。夜宿山谷，凉风习习，薄雾缭绕，缥缈虚幻，如临仙境，有魅影掩青山之术。遥望娇翠欲滴之山峰，万木竞秀，飞花点翠，似近还远，若有若无，当浮华略尽，唯留绿意丝丝。俯望一泓碧水，清波微漾，白云倒映，鱼虾浮动。

置身郁郁葱葱的群山怀抱，陆贾被深深地打动了，顿时精神抖擞，满身疲惫一扫而光。他立志不辱使命，将这片如画河山纳入大汉版图。

肇始于古希腊先哲希波克拉底、柏拉图、亚里士多德的“地理环境决定论”虽屡遭批判，但自然环境对人文历史的巨大影响却从未被人忽视。古希腊文明是欧洲文明的主要源头之一，由于地处海湾众多、海岛遍布的地中海和爱琴海的环抱中，古希腊文明在某种程度上可以说是海洋文明，古希腊先哲对人类历史的认识也多从地理、气候上考虑。希波克拉底认为人类的特性由气候决定；柏拉图认为人类精神深受海洋影响。亚里士多德则认为地理位置、气候、土壤等影响民族特性、社会组织形式和社会性质，希腊半岛因处于炎热气候与寒冷气候之间，因而赋予希腊人以优良品性，故其天生能统治其他民族。

当人类文明的列车驶入中世纪后期时，一批开明的思想家便将地理位置、地形、地势、地貌、水文、气候等影响人类历史进程的自然因素引入人类对物质世界和历史世界的认识中。16 世纪初期，法国历史学家博丹在其名著《论共和国》中认为，民族差异源于所处地理位置和气候等自然条件的不同；不同类型的民族需要不同组织形式的政府。

近代以来，研究自然环境与社会历史关系的思想家层出不穷。将自然环境视为人类各民族形态各异决定性因素的思想家被称为“社会学中的地理派”，这一学术观被称为“历史的地理史观”。法国启蒙哲学家孟德斯鸠的启蒙著作《论法的精神》，将亚里士多德的论证扩展到不同气候的特殊性对各民族生理、心理、气质、宗教信仰、政治制度的决定性作用之中，认为“气候王国才是一切王国的第一位”。在他看来，热带地区通常是专制主义笼罩，而温带地区则多形成强盛与自由之民族。孟德斯鸠的理论影响力很大，伴随其启蒙思想而流传到世界各地。英国历史学家巴克尔和德国思想家拉采尔也都认为个人和民族的特征服从于自然法则。

虽然地理环境决定论从一开始就广受质疑，对照欧洲中古以来近代政体沿革也难以自圆其说，但这种从自然条件入手寻找人类社会发展根本动因和脉络的方法却在很大程度上影响着人类的历史观。19 世纪的德国学者亚历山大·洪堡曾豪情万丈地宣称："我要努力证明自然条件对道德和人类命运的经常的和无所不在的影响。"

那么，南越古国的自然环境是什么样子的呢？

南越国地处岭南，这里是越人聚居之处。

岭南又称"岭表"。岭南的"岭"通常认为是南岭，顾名思义，"岭南"即南岭以南。秦汉时期的南越古国因其地理环境的独特性而导致其历史文化迥异于中原列国。南越古国疆域辽阔，最大时号称"东西万余里"，境内最主要的山脉南岭自古以来都是南北交通要道，扼险而制是南越建国的基本条件。

南岭大约处在北纬 24°～26°、东经 110°～116° 之间，横亘桂、湘、粤、赣、闽，东西长约六百公里，南北宽约两百公里，平均海拔在一千米左右，是中国十大山脉之一，也是中国南部最高山脉和重要的自然地理界线。南岭由越城岭、萌渚岭、骑田岭、都庞岭和大庾岭五条主要山岭组成，因故得名"五岭"。广义的南岭还包括苗儿山、海洋山、九嶷山、香花岭、瑶山、九连山及周边诸峰。

岭南地势自西北向东南倾斜，山地、丘陵、平原交错分布，河网密布，湖多汊众，西部与北部以岩溶地貌居多，东部和南部海岸线曲折漫长，岛屿遍布。岭南河流众多，这些河流具有流量大，含沙量少，汛期长，径流量丰富等特点，绝大多数源自西北部、北部和东部的崇山峻岭中。岭南地区最大的河流珠江，是中国第五长河，流量仅次于长江，居全国第二位。

岭南自然风光婀娜多姿，既有气势磅礴的山峦，也有水网纵横的平原；既有岩溶洞穴，也有川峡险滩，更有海天一色的港湾风光。

在人类改造自然能力极为低下的古代社会，水利工程是世界各主要文明区域的文明程度的重要标志。享有"世界古代水利建筑明珠"盛誉的世界最古老运河之一的灵渠成为打开南北水路交通的要道，是两千多年前先民们的一大壮举。长江流域与珠江流域隔着巍巍的五岭山脉，陆路交通阻障重重，更无水路可通。始皇帝扫灭六国后，希冀将百越之地也纳入统治版图。于是，在命令蒙恬北拒匈奴而守藩篱的同时，也积极准备征伐百越。公元前219年，始皇帝巡游湘江，为解决南征部队的粮饷运输问题作出了“凿渠运粮”的决定。在始皇帝这一雄心勃勃的计划下，杰出的水利家史禄驱使军士、刑徒、征夫劈山削崖，筑堤开渠，历数年之功，这条长三十多公里，宽五米的水渠终于凿通。灵渠将长江支流湘江与珠江支流漓江打通，沟通了长江水系和珠江水系。

人们敬佩于史禄开凿灵渠居功至伟，称赞他“咫尺江山分楚越，使君才气卷波澜”。广西兴安县还为他勒碑立传，灵渠南渠岸边的四贤祠内，至今还供奉着史禄的塑像，他的事迹也被世代传诵。

灵渠完整精巧，设计巧妙，通三江、贯五岭，沟通南北水路运输，与长城南北呼应，同为世界奇观。与北方长城在雄壮和险峻中透露出的拒敌千里的冷漠相比，南方的灵渠更多的是宁静和从容里洋溢着的沟通心灵的温情。

灵渠凿通后，大批粮草经水路运往岭南，秦军在百越战场上兵锋凌厉、势如破竹，迅即统一岭南。后来秦朝得以在此设置南海、桂林、象三郡，灵渠功不可没。可以说，灵渠为南北经济文化交流创造了先决条件。

岭南位于典型的季风气候区，风向随季节交替变更。夏季以南风和东南风为主，风速较小；冬季大部分地区以北风和东北风为主，风速较大；春秋两季为交替季节，风向不如冬季稳定。

与岭北寒潮进逼、霜雪交迫迥异的是，岭南之地属于亚热带季风气候区，具有热带、亚热带海洋性季风气候的特点。北回归线横穿岭南中部，雷州半岛、海南岛和南海诸岛属于热带气候区，其他地方属于亚热带气候区。这里大部分地区夏长冬短，雨水丰沛，稀见霜雪，春无来去，阳光辐射时间绵长而程度炽烈，四季温差和昼夜温差都不大。

因岭南全年气候温润，所以林木茂盛，四季常青，百花争艳，各种花草树木终年不绝。繁茂的植物为动物生长提供了有利的条件，岭南动物种类繁多，在全球都是首屈一指的。这为早期居住在此的岭南百姓提供了丰富的动植物资源。

二、引无数英雄竞折腰：人文荟萃的岭南神韵

古往今来，众多贬谪岭南之士流放途中往往被岭南壮观而迷人的景象所深深折服，而暂时忘却贬谪的幽怨和旅途的疲倦。岭南似乎成为了悲怆际遇的治愈之地。

江山如此多娇，引无数英雄竞折腰。

岭南是南越民族杂居之所，远古之时被视为蛮夷之地。其实，早在神话传说时代，岭南就已进入华夏文明的视野和文化版图。《史记·五帝本纪》载颛顼帝教化祭祀“北至于幽陵，南至于交趾”；又载舜时禹定九州“南抚交趾”。《吕氏春秋·求人》言禹治水“南至交阯”。交阯即交趾，也称交胫国，处岭南，包括今日广西南部和越南中北部。

伪托大禹和伯益之名的《山海经》记有很多海外的部族方国，其中涉及南方的方国部族以《海外南经》为例，有结匈国、羽民国、交胫国、长臂国等，这些方国由于年代久远，无史迹可考，大多数早已湮没无闻，其地理位置也难以追踪。《山海经》时代的岭南正好处于中原地带的边缘或外围，在中原华夏人的视野中，岭南是蛮夷之地，是需要华夏文化对其进行文明教化的地方。这种华夏民族“自我中心”的文化心理形成了以后的“华夏文化中心观”的思维定式与文化观念，是中华民族内部关系秩序化、体系化的核心内容，也是华与夷、内与外、海内与海外政治结构的主要观念形态。

远古时期，岭南就有人类活动。相传舜曾游历过岭南。

史载舜为黄帝八世，后受尧禅让而执掌中国。《史记·五帝本纪》云：舜“践帝位三十九年，南巡狩，崩于苍梧之野。葬于江南九嶷，是为零陵”。在岭南地区，有多处舜文化遗存及有关舜的传说。

舜南巡的目的是通过其所作的韶乐对蛮夷地区实行礼仪的教化。

相传舜在广东连州南风领上创作《南风歌》曰：“南风之熏兮，可以解吾民之愠兮；南风之时兮，可以阜吾民之财兮。”这算是舜代表天下苍生向天祈求的一个祷文：南风徐徐，可以解除我子民的温热；南风吹得正合时宜，可以赋予我子民财富。又传说舜在英德南山鸣弦峰上鸣琴奏韶，在曲江周田镇之浈江边上奏韶乐，留下韶石之名，今日广东韶关也由此得名。

舜南巡途中病逝于苍梧之野，埋葬在苍梧九嶷山的南面，是为零陵。今日湖南零陵县即得名于此。

零陵是舜陵的别称或美称。

相传舜死后，舜的两个妃子娥皇和女英，千里迢迢从中原来到九嶷，想要找到舜帝的陵墓。她们一路寻找，一路伤心落泪，直到泪尽泣血。泪血洒到竹子上，留下泪斑，使竹子成为泪竹，又称为斑竹。但不幸的是，娥皇、女英最终没有能够找到舜的陵墓，便在返回中原的途中，双双投水自尽于洞庭湖。当地人为了纪念娥皇、女英的情深意切，便将舜陵改称为零陵。在这里，零陵的“零”字是“涕零”，即落泪、掉眼泪的意思。

舜文化遗存和神话传说表达了先民们对舜的爱戴，也反映出远古时期，中原人就开始在岭南活动。

先秦时期，百越一带生活着成百上千个原始部落。原始社会末期，越人的生产力水平极其低下，依靠石器和为数不多的青铜器，过着刀耕火种、茹毛饮血的艰苦生活。此时，百越民族与中原华夏族的交往十分有限。

商周以后，岭南与中原及长江流域已存在着政治、经济和文化等多方面的往来。战国时，岭北汉人因经商、逃亡或随军征战等原因，逐渐南来。秦平南岭后，岭南与中原有了更加紧密的联系。历次汉人大举南迁，以北方的生产技术和文化影响了越人，加快了岭南的开发。唐代开元年间，张九龄主持扩建大庾岭新道，使其成为连通岭南岭北的主要通道。此路凿通，中原先进文化涌入岭南，此后中原声教日进，岭南人才辈出。

历代流人贬官流放岭南也促进了中原汉文化与岭南各地文化的交流。有史可考的流人贬官不计其数，仅唐代就有流人近三百人，贬官近二百人，其中比较著名的有柳宗元、韩愈、刘禹锡等。

尤其是岭南，是古代瘴疠横生、流放刑徒之地，古往今来，众多贬谪岭南之士流放途中往往被岭南壮观而迷人的景象所深深折服，而暂时忘却贬谪的幽怨和旅途的疲倦。岭南似乎成为了悲怆际遇的治愈之地。其中韩愈的“夕贬潮州路八千”已成千古绝唱。唐代宰相李德裕在宣宗即位后贬谪岭南途中作《谪岭南道中作》一诗：

岭水争分路转迷，桄榔椰叶暗蛮溪。
愁冲毒雾逢蛇草，畏落沙虫避燕泥。
五月畬田收火米，三更津吏报潮鸡。
不堪肠断思乡处，红槿花中越鸟啼。

首联写山水。岭南重峦叠嶂，山溪奔腾湍急，支流岔道无数，山路盘旋，行人难辨方向而迷路。山间景色更是美妙绝伦，桄榔、椰树布满千山万壑，层林叠翠，郁郁芊芊，显得那么妩媚、灵秀，浓郁的南国风光跃然纸上。颔联宕开一笔，描绘险途中如履薄冰之情状：担心遇到致人丧命的瘴气、蛇草、虫豸，即使碰到滑落的燕泥也畏惧万分，岭南是多么荒僻险恶之地啊。颈联则笔锋一转，描绘岭南风华物产。五月间岭南已到收获稻米的时节，潮汛将来，鸡在三更时分就会鸣叫，津吏也就把这消息通知行人，这与北方风物差别多大啊。尾联借用“越鸟巢南枝”之典感叹羁旅思乡之苦，看着艳丽的红槿花上越鸟在啼叫，鸟且不忘故土，人何以堪！

宋代苏辙因上书言事得罪权臣，谪守岭南，他曾作诗《和子瞻过岭》：

山林瘴雾老难堪，归去中原茶亦甘。
有命谁令终返北，无心自笑欲巢南。
蛮音惯习疑伧语，脾病萦缠带岭岚。
手挹祖师清净水，不嫌白发照毵毵。

诗人感叹道：身染微恙还要身居蛮地，耳中是完全听不懂的蛮夷之语，心中何其怅然？本来在中原生活还算安逸的苏东坡被贬岭南，虽心中不快却也无可奈何，只得怀着自嘲的心态赶往岭南，心里十分盼望能够接到皇命回到中原。

还有无数文人骚客慕名而来，为岭南风情增添几抹人文气息。唐人曹松曾作《岭南道中》一诗：

百花成实未成归，未必归心与志违。
但有壶觞资逸咏，尽交风景入清机。
半川阴雾藏高木，一道晴霓杂落晖。
游子马前芳草合，鹧鸪啼歇又南飞。

从诗句“但有壶觞资逸咏，尽交风景入清机”中可以看出曹松的心情并不十分沉重，在轻松愉悦中显露出些微的游子思乡之情。

宋人张子龙《客居岭南》：

天风吹白波，归客欲如何。
炎国逢花早，春船载雨过。
畏蛇焚瘿木，防蛊种衰荷。
洞口商人妇，时时送夜歌。

炎热的岭南花团锦簇，在春雨中绽放，景色美妙，不过蛇虫遍地，又让人心生几分伤感。

宋人郑刚中长期客居岭南，对岭南气候、物产、风土民情都有比较深刻的体认。他的《庚午腊中苦寒不雪不雪岭南之常而苦寒为希有》一诗反映出南暖北寒的情状：

檐风动修竹，终夜玉相戛。
晓望山头松，孤瘦冻欲折。
欣然发茅亭，准拟看飞雪。
待之既逾时，脚硬冷如铁。
青山全不老，暮雨空凄绝。
岂非地气偏，湿浊旧不泄。
剪水下云来，祇向虚空歇。
今年腊中寒，万口称凛冽。
此是雪先声，荡洗岭南热。
蜒叟且莫惊，造化无差别。
会须烟瘴林，都有琪花结。
草色润如酥，看取焦枯活。

山峦起伏，瀑布跌宕，绿水蜿蜒，舟楫竞渡，好一派岭南风光！一方水土养育一方人，在青山绿水的滋润下，岭南人多娇小玲珑、温良如玉，鲜有粗犷豪放、狂傲不羁者。

南北方民情风俗也大异其趣。郑刚中的《风俗》一诗重点描述了岭南风俗与岭北风俗的差别之大，“岭南自岭南，勿用岭北比”实在恰如其分：

民生各异俗，王制论不诡。
惟兹封州郡，山之一谷尔。
麦秋无青黄，霜冬有红紫。
嗜好既殊尚，言语亦相抵。
问之彼不通，告我此勿理。
骇去如鹿麋，团聚若蛇虺。
如何苏属国，胡女为生子。
已而忽超然，天下同一理。
岭南自岭南，勿用岭北比。
况自江山情，雅故均邻里。
暮夜松桂间，受月如受水。
根根抱虚明，叶叶万尘洗。
先生一杯酒，月到酒尊底。
画以寄吾乡，吾乡祇如此。

唐宋变革以前，岭南好比一处桃花源，远离中原的纷纷扰扰，少了几分喧嚣，多了几分宁静。不可否认，在中国历史的前期，岭南一直是中国文化的“配角”，一直以中原王朝的后花园自居，静谧而神秘，恰似超凡脱俗的仙人，又似归隐山林的处士，与世无争，去留无意，落得一个雅静清幽、心旷神怡。

第二章

惊鸿一瞥：探访尘封已久的南越古国

岭南文化源远流长，博大精深，作为中华文化的子系统，她以其浓郁的南国风韵而独树一帜，为中华文化大家庭增添别样的风采。随着南越国宫署遗址、南越文王墓、南越国木构水闸遗址、莲花山古采石场及横浦关、阳山关、赵佗城、秦城等南越古国遗迹的考古发掘，一个神秘的文明古国逐渐浮出水面，进入公众的视野。南越古国究竟是怎样一个谜？

1983年6月9日上午，广州一处施工单位在象岗山顶部开掘公寓楼的墙基时，无意中发现了一块块平整的大石板，疑似一处地下建筑。消息传开，广州市民竞相揣测，有人认为是战争年代遗存的军火库，有人认为是紧急避难时的防空洞，还有人大胆揣测是外星人在地球建设的军事基地。考古人员赶到现场进行多方勘测，初步认为是明代墓葬，后来认定是汉代彩绘石室古墓。在墓室周围没有陪葬坑，整个象岗山由其独占，可见墓主人是一位地位显赫的权贵。

墓主人身穿丝缕玉衣，贴身随葬品有龙钮“文帝行玺”金印和一枚青白玉篆刻“赵眜”印，可证墓主人是南越文王赵眜。后来经过考古人员精心研究，确认这处墓冢就是西汉南越王国第二代国王南越文王赵眜的陵墓。

陵墓中有十五名殉葬人和一千多件珍贵的随葬品。随葬品以南越文化特色的金器、银器、铁器、玉器、铜器和陶器居多，尤其是雕镂精美的各种玉器，堪称汉代玉器之大观，具有汉、楚、越文化特色的青铜器也属罕见。值得一提的是，墓中还出土有蓝色平板玻璃、世界第一套套色印花铜版模、非洲象牙等，都是一批具有很高学术价值和审美价值的稀世珍品。墓中还出土了“帝印”封泥，但文字结构与玉印的“帝印”二字有别。以“帝印”为文，又用作缄封一般物品的凭证，可以认为这枚印玺具有宫印和私章的双重性质，应该是南越国所特有。

沉睡地下两千年的南越王墓终见天日！

南越文王赵眜墓是岭南地区已发现的陵墓当中，规模最大，随葬品最多，墓主人身份最高的陵墓。陵墓深埋于二十多米的山体腹地，未曾遭到盗扰，是迄今为止岭南地区发现的规模最大、保存完好、随葬品最丰富的汉代彩绘石室墓，也是唯一的一座全用石块砌建而成的、首次出现壁画的彩绘石室墓。已发现的汉代诸侯王墓大多位于中原地区，仅有南越文王墓地处南部边陲，其科学研究价值之大不言而喻。南越文王墓的发现有利于探索中原与边远地区汉代诸侯王墓在丧葬礼仪上的统一性和特殊性，有利于全面认识汉代墓葬方式和丧葬观念上发生的大转变，对于研究秦汉时期广州地区乃至整个岭南地区经济、政治、文化的发展，汉、越文化的交流和融合，具有重大的历史、科学、艺术价值，是岭南地区汉代考古的断代标尺。

南越文王赵眜墓历经各代盗贼袭扰而最终免于灾祸，完整地呈献给世人，不得不说是一种莫大的幸运。

“入土为安”自古以来就是中国人祖先崇拜的重要一环，也是中国人重要的文化心理。无论一个人生前所作所为如何，死后通常都会得到应有的尊重。正是由于中国先民对祖先的敬畏和对殡葬文化的推崇，人们往往视墓主人的身份而陪葬数量和价值不一的随葬物。在春秋时期“礼坏乐崩”的社会变化之后，厚葬之风兴起，并广泛流传于民间。诱人的利益催生了形形色色的盗墓者。

盗墓是渊源古远的社会文化现象，早在原始社会后期就曾发现过盗墓遗存。后世形成了以盗墓为业的盗墓贼群体。盗墓者八仙过海、各显神通，盗墓工具千姿百态，盗墓手段五花八门，让人防不胜防。

为防止盗墓，墓主人生前就想好各种应对策略，或者墓主人亲属在墓主人死后总要为防范盗墓者而仔细思量。最普通的反盗墓方式是隐蔽墓址，使盗墓者不知墓室在何处，“疑冢”的大量涌现便是方法之一。此外还有将墓室建造在奇山险峰之上或者在墓室中设置机关暗器等反盗扰举措。

赵昧墓便是依山傍险开凿。南越国征发大量劳力在象岗山上凿入二十多米深的地穴,用750多块红砂岩铺筑。整个陵墓坐北朝南,成“士”字形平面，仿照“前堂后寝”的形制由七个墓室构成，前面三室分别为前室和东、西耳室，后面四室为主棺室、东西侧室和后藏室，总面积约一百平方米。墓室前部前室的四壁和顶上绘有朱、墨两色云纹图案，象征朝堂。东耳室放饮宴用器，西耳室放兵器、车马和珍宝等。墓室后部东侧室是四个姬妾的殉葬室，西侧室为七个厨役的殉葬室。后藏室为食物储藏室。墓主人居于后部的主棺室，以一棺一椁入殓，身着丝缕玉衣，两侧有十把铁剑，九枚印鉴，其中一枚是“文帝行玺”的金印。墓室之中，广布暗器，表面富丽堂皇而暗阁中却深藏重重杀机。

历朝历代的盗墓者都醉心于种种有关南越国珍奇异宝的传闻，做着掘墓发财的美梦而踏上寻掘陵墓的漫漫征途,纵使殒命于此也在所不惜。他们凭借并不可靠的民间传闻和史籍中的只言片语便去铤而走险，踏遍南越国故都番禺城外的白云山、越秀山以及方圆百里的无数荒山野岭，企图探寻南越王的真正归宿地，遗憾的是，历朝历代的盗墓者都铩羽而归、无功而返。

在盗墓者的世界里，南越王墓就是一个谜。虽然他们对探求墓址、寻觅宝藏仍然痴心不改，但南越王墓依然像一位隐士一样安详地徜徉于青山绿水之间，未露半点峥嵘。

斗转星移，一切都是那么的巧合，似乎一切都在冥冥之中被注定了一样。在共和国历史上，尘封已久的南越文王墓才真正面向世人掀开她神秘的面纱。

南越文王墓的出土，被誉为近代中国五大考古新发现之一。过去仅由文献记载的南越王国有了大量地下考古文物作为依据，南越王国的历史更加真实而丰富，神秘的南越王墓激起了人们了解岭南历史文化的浓烈兴趣。

一石激起千层浪，被人讥讽为文化荒漠的岭南为之震撼。1996 年，南越文王墓被国务院公布为第四批全国重点文物保护单位。广州市将原址保护起来并在此建成南越王墓博物馆，一时间，游人如织，人们争相传诵南越史事。南越文王墓的发现使得南越古国进入公众视野，开启了人们对遥远古国的寻觅之旅。

曾经雄踞岭南、威震万里边陲的南越古国，虽然最终湮没于西汉大一统的版图之中，但在立国近百年中发生的恩怨情仇、是非纷扰，历经两千多年的孤寂后终于重见天日。尘封已久的南越古国会以什么样的姿态展现她的魅影给世人？

岭南文化源远流长，博大精深，作为中华文化的子系统，她以其浓郁的南国风韵而独树一帜，为中华文化大家庭增添别样的风采。随着南越国宫署遗址、南越文王墓、南越国木构水闸遗址、莲花山古采石场及横浦关、阳山关、赵佗城、秦城等南越古国遗迹的考古发掘，一个神秘的文明古国逐渐完整而清晰地浮出水面。南越古国究竟是怎样一个谜？

上 编

“南下干部”第一人：横空出世的南越武帝赵佗

“王侯将相宁有种乎？”伟大时代已经来临，英雄乐歌已经奏响，尽情挥洒胸中万丈豪情吧，怀揣鸿鹄之志，终究会一鹤冲天。大丈夫当如是也。

第三章

时势造英雄：金鳞岂是池中物

躬耕乡野，日出而作，日入而息，娇妻爱子环绕膝前，也许，这就是平凡而幸福的一生。可是，当有一天他无法再享受平静时，一切都会改变。看不见了阡陌的交错，闻不到了泥土的芬芳，斜阳拂面已成幻觉，他将何去何从？

时势造英雄，英雄造时势。哪个英雄不是凡人？当风云际会将凡人推上风口浪尖的那一刻，凡人就不得不扮演英雄的角色，这就是历史使命，他别无选择。

一、潜龙勿用：英雄不问来路

一个正搭弓射箭的少年目睹了这血腥的一幕。这样的场景，他每天都能看到，每当此时他都暗暗发誓要结束这个罪恶的时代。

黎明时分，一支由亡命之徒组成的队伍浩浩荡荡地开进一个不足百人的村落，霎时鸡鸣犬吠，天昏地暗，鬼哭狼嚎，村口横七竖八地躺着还在流血的尸体，一声凄厉的呼救声伴随一阵阵抽搐，最后一个活生生的村民也被割断了喉咙。

这里每天都在重复着这样血腥的杀戮，杀人者与被杀者并没有任何冤亲血债，杀人者只是要享受杀戮的快感，被杀者只能提心吊胆地过着并不想过的悲惨日子。

一个正搭弓射箭的少年目睹了这血腥的一幕。这样的场景，他每天都能看到，每当此时他都暗暗发誓要结束这个罪恶的时代。

跌跌荡荡地回到家中，他不禁痛哭失声。父亲见状，前来问询。他嗖地站起来斥问父亲："我家乃堂堂宗室，为何躲在此穷乡僻壤苟延残喘，眼看周遭邻里悲惨之状却无计可施，到底为什么？"父亲并没有责怪莽撞的儿子，而是一把将他搂在怀里，他明白儿子心中的苦闷，他自己又何尝不是如此？

知子莫若父，父亲是深知儿子勇武聪颖的。

儿子十三岁那年，家乡大旱，赖以生存的河水将要干枯，庄稼颗粒无收，家里等米下锅，父亲含泪对儿子说："孩子，不要读书了，你到西山土门关砍些柴火到集市变卖，换些粮食度日吧。"儿子望着面颊浮肿的父亲，拿起斧子和草绳，叫上隔壁小伙伴，直奔西山。来到土门关，他们不禁惊呆了！这里古木成林，野果飘香。他兴奋地摘取几只果子充饥，心想还要给父亲带一些回去，想到这些，他心里美滋滋的。山上柴虽好砍，但猛兽出没，砍柴人总是提心吊胆，不敢去往山林深处。

初生牛犊不怕虎，他才管不了那么多，心想早些砍完柴还不耽误去集市上换粮食，就兴冲冲地朝山林深处跑去。眼看胜利果实快要堆成山，他和小伙伴便合计着下山。这时，几只恶狼围住了小伙伴，他不顾荆棘刺身迅速上前营救，他挥动斧头，大吼一声，豺狼闻声而怯，夹着尾巴逃跑了。

还有一次，他的一支竹笛儿被抱犊山上的猴子偷走了，他急忙追赶，猴子就急速逃跑，他一哭猴子便笑，他一笑猴子便嚎叫，惹得他哭笑不得。猴子偷了他的笛子如获至宝，也想吹出优美的曲子，可它怎么能吹响呢？他看见拿笛子的猴子攀在树上，便摘些山里的果子放在树下引诱，然后拿另一支笛子吹奏，手指灵活弹动，歌声婉转悠扬，猴子陶醉其中，便仿照他的样子用自己的笛子学吹。只见他吹累了，将笛子夹在胳肢窝里，猴子也把笛子夹在胳肢窝里。看到猴子上当了，他突然一声惊叫，举起双手，树上的猴子见状也举起双手，笛子落地，他智取笛子，猴子目瞪口呆。

回忆起这些，父亲嘴角露出一丝笑意，他对儿子是由衷欣赏和放心的。如今群雄割据，列国纷争，他不忍心让儿子投入其中，可是如今儿子长大了，聪慧而勇武，是时候让他走出家门干一番事业了。

次日拂晓，父亲为儿子饯行。长亭外，古道边，喝一口水酒，挥别亲人，这一走就是一辈子。父亲意味深长地说："儿啊，无论身在何处，所做何事，都不要忘记我们祖先的荣耀。即便你身处险境，不被人理解，也要保持高贵的气质，勿忘使命！"儿子顿首三拜，只身离开了家乡。

他，就是后来叱咤风云、震撼秦汉的南越王，嬴姓，赵氏，名佗，著名宗室将领，约生于公元前240年，祖籍秦朝恒山郡真定县东安村人（今河北省石家庄正定县东安村），父赵常明，母讳侯氏，是名副其实的名门之后，拥有无上光荣的贵族血统。

与现代社会姓氏合一不同的是，中国古代姓、氏有别。宋人郑樵《通志·氏族略》中说："三代以前，姓氏分而为二，男子称氏，妇人称姓。氏所以别贵贱，贵者有氏，贱者有名无氏。姓所以别婚姻，故有同姓、异姓、庶姓之别。氏同姓不同者，婚姻可通；姓同氏不同者，婚姻不可通。三代之后，姓氏合而为一，皆所以别婚姻而以地望明贵贱。"天下同姓是一家，故有同姓不婚的习俗。

姓氏的起源可以追溯到原始社会的母系氏族社会时期，所以姓中多带女字。"姓者，统其祖考之所自出；氏者，别其子孙之所自分。"姓是作为区分氏族的特定标志符号，中国上古有八大姓氏：姬、姜、妫、姒、嬴、姞、妘、姚，中国目前的大多数姓氏都是由此八姓演化而来。随着社会生产力水平的提高，母系氏族社会过渡到父系氏族社会，氏族社会又逐渐被阶级社会所替代，赐土以命氏的治理国家的方法、手段便产生了，地名、封号成为氏的重要来源。总之，姓和氏的产生是人类文明的产物。

相传汉族赵姓，源自嬴姓，是嬴姓十四氏之一。赵氏之先出于颛顼帝，舜赐姓嬴。伯益为颛顼裔孙，被视为嬴姓祖先。周穆王时，伯益的九世孙造父为周穆王的驾车大夫，攻灭徐偃王后，因功被封在赵城，子孙遂以赵为氏，因而造父是华夏族赵姓始祖，已有三千年历史。

赵佗的祖上赵夙、赵衰、赵盾、赵朔、赵武、赵简子等世代为晋国重臣。韩、赵、魏三家分晋后，赵佗的祖上得以与列侯并立。赵佗的父亲赵迁是悼襄王赵偃的儿子，曾被立为太子，因赵国为秦国所灭而未能即位。赵佗是地地道道的赵国贵胄。

造父是战国时期秦人和赵人的共同祖先。战国时期的赵国宗室实际上是嬴姓赵氏，秦国公族也是嬴姓赵氏，秦始皇嬴政也称赵政。赵佗本是赵国王室贵族，只是支族败落，到赵佗父辈时已是家道中衰，生活清苦。赵佗平素行侠仗义，胸襟坦荡，怀抱凌云之志，自幼饱读诗书，练功不辍，虽身躯清瘦，但骨气硬棒，明眸机灵。

躬耕乡野，日出而作，日入而息，娇妻爱子环绕膝前，也许，这就是平凡而幸福的一生。可是，当有一天他无法再享受平静时，一切都会改变。看不见了阡陌的交错，闻不到了泥土的芬芳，斜阳拂面已成幻觉，他将何去何从？

战国后期，列国割据，群雄四起，烽火连天。始皇帝振长策而御宇内，四方豪俊争相入秦。公元前 222 年，赵国破灭后，赵佗便入秦效命，他的使命才刚刚开始。

"王侯将相宁有种乎？"伟大时代已经来临，英雄乐歌已经奏响，尽情挥洒胸中万丈豪情吧，怀揣鸿鹄之志，终究会一鹤冲天。大丈夫当如是也。

二、见龙在田：秦始皇的护驾御剑侍卫

文武兼备的赵佗被顺利选中，编入秦始皇直接掌控的禁卫军中。由

于赵佗做事机密，不该问的事情从不过问，皇帝每次巡幸行宫多由赵佗陪同。在皇帝眼中，赵佗就是一具忠心耿耿没有任何心计的木偶。

眼看江山一统，万世基业奠定，秦始皇的心头却时常缠绕着一丝难以名状的不安。公元前260年，始皇帝虽正值春秋年富，但夜幕降临时却总是辗转反侧，难以安眠，似乎有无数双恐惧而仇恨的眼睛在黑暗的角落里盯着他，似乎一旦他昏睡，黑暗中就会冲出来无数魂灵寝其皮食其肉。早朝时那些反对他的人到底是何居心呢？是觊觎他的皇帝宝座，还是要挖倒皇子皇孙们的万世基业？这一切都让他寝食难安，惶惶不可终日。

上次燕国派荆轲行刺，他险些被害，觉得这皇宫大殿也不安全了。从此，无论上朝还是归寝，他都如履薄冰，生怕再出现一个荆轲。

李斯显然知晓秦始皇所患何症。是的，他太需要忠心耿耿、武艺高强的一流侍卫来防护他的安全了。李斯建议秦始皇在军中和民间招募一批侠肝义胆的武林高手，专门负责他的安全。秦始皇听后心中窃喜，却故作镇定地对李斯说：“爱卿办事，朕放心。”

此时的赵佗只是军中小吏，正为难以施展平生抱负而一筹莫展，忽闻秦始皇要招募贴身侍卫了！赵佗自忖：自己本是赵人，赵亡后加入秦军，在这里一无所依，不如索性去做皇帝的贴身侍卫，说不定有机会受到皇帝赏识，日后能干大一番大事业呢。

文武兼备的赵佗顺利被选中，编入秦始皇直接掌控的禁卫军中。由于赵佗做事机密，不该问的事情从不过问，皇帝每次巡幸行宫多由赵佗陪同。在皇帝眼中，赵佗就是一具忠心耿耿没有任何心计的木偶。

秦始皇外出巡游时，赵佗获赐护驾御剑得以随行。他一路鞍前马后，千方百计为皇帝分忧解难，深得皇帝信任和器重。

赵佗在禁卫军中恪尽职守，秦始皇出巡时曾受到憎恶他的山东六国贵族招募的死士行刺，赵佗为其化险为夷，很快他就在军中有了一定威望，皇帝也越来越信任这位勇士。

正当赵佗不计个人安危为秦始皇誓死效力的时候，困扰出现了。

秦始皇虽自命功盖三皇、德配五帝，却还只敢自号天子，对天道既敬又畏。

秦始皇迷信法术，宠信方士。一位擅长“望气术”的术士曾向他进言:“东南有天子气！”秦始皇将信将疑，隐约想起当年平定六国时，齐、楚两地反抗最烈，想必是天子气使然。始皇帝并不很了解天子气，却知道天子气是对皇位永固的巨大挑战，这是他无论如何也不能容忍的。

于是，他常常对大臣和随从说东南有天子气，实际上是为其东巡制造舆论。为了抑制天子气，保证大秦帝国江山永固、至于万世，始皇帝开始了浩浩荡荡的巡幸之旅。每次出巡时，秦始皇都要带着大批善于看龙脉、风水的术士，新到一地，必先着令术士查看地情，弄清风水。传说秦始皇巡游到彭城、丰邑一带时，术士发现这里有“水龙之势”，于是秦始皇严令军士挖沟埋剑，以断“龙脉”。

大量死人是避免不了的，高高在上的皇帝、贵族们才没工夫理会这些会说话的牲口。饿死的、活活累死的、被监工打死的、染恶疾得不到救治而死的、试图逃跑而受刑死的，每天都有军士和役夫被拖去荒野草草埋葬，人人侧目，敢怒不敢言。

赵佗觉得秦始皇的行为荒唐至极，近乎于谬，自己满身才华却用在如此低劣下作的事情上，心中自然很不畅快。某日，始皇帝又派军士和役夫连夜挖掘某处“龙脉”，令赵佗率领禁卫军前往监工。连日来得不到有效休息，连续奋战多日的军士们怨声载道，吵嚷着要求休息，否则就罢工。情势十分危急，若再不妥善解决，眼看就要酿成哗变。

在所有人眼中，哗变都是正常的。这么沉重的压力下，没有惊人的毅力是无论如何也承受不了的。这些在痛苦深渊的役夫期盼遇到救星，渴望神灵解救，可是眼下他们还是得干活、干活、再干活，除此之外，他们的生活中再没有别的内容。

绝望的眼神是凄迷的，是无奈的，却也是可怕的。

秦法严苛，军令如山，违令者杀无赦、灭三族。

秦始皇是不会在乎军士和役夫的安危祸福的，因为在他眼中，这些人只是维护他尊崇地位的工具，除了干活，他们没有其他任何权利。

禁军侍卫们素知赵佗精通武功韬略，遂向前问计。

很快，负责监督工程的贴身侍卫们簇拥到赵佗周围商讨对策。赵佗对大家说：“昔日孔夫子谴责‘苛政猛于虎’，依你们看，今日陛下执政是否为苛政？”大家一听这话都低头不语，这可是要招致灭族的言论呀。

赵佗登高一呼，命令军士和役夫就地休息，补充水和粮食。

不多久，秦始皇的敕令传来，赵佗被驱逐出禁卫军，并被剥夺了护驾御剑侍卫的头衔。但秦始皇还是赏识他的，使他得以继续陪驾巡游。

巡游路上，赵佗战战兢兢、如履薄冰。他在韬光养晦，寻求机遇，以求东山再起。

前途一片晦暗，可是胸怀大志的他不会就此沉沦。

是金子总会发光，他期盼有一天能够雄鹰展翅，翱翔于天地间。

三、终日乾乾：雄鹰当翱翔于天地间

金鳞岂是池中物？想我赵佗乃堂堂燕赵豪俊，年少从军，已经十几载，怎么能甘心成年累月给人做奴才，像牲口一样听人使唤呢？

跟随秦始皇多次出游，赵佗领略了大好河山的壮美，对民生凋敝和百姓疾苦感同身受，对动荡不堪的秦帝国也有了更加深刻的体认。

赵佗对自己的际遇很是不满，护驾御剑侍卫的光环早被他遗忘和鄙弃。他时常怅恨良久，感喟不已。

金鳞岂是池中物？想我赵佗乃堂堂燕赵豪俊，年少从军，已经十几载，怎么能甘心成年累月给人做奴才，像牲口一样听人使唤呢？

他暗暗发誓：一定要干出名堂来！

他的雄心壮志被激发了出来。可是如何才能出类拔萃、脱颖而出呢？

秦国自孝公商鞅变法以来，在全国推行军功爵制，这是一种旨在激发人的能动性和创造性的、有别于之前“世卿世禄”制的新型体制。

战国以前，列国普遍施行“世卿世禄”制。国家选拔人才主要是在奴隶主贵族中选拔，标准是与统治者关系亲疏远近和出身尊卑贵贱。奴隶主贵族和平民、奴隶的社会身份和地位都是世袭的。出身高贵者即使德行低劣、才干平庸也有不少机会成为重臣。普通士卒建立的功勋都置于所属贵族名下，而建立功勋者本人不会因所建功勋而改变社会身份和社会地位。这种“世卿世禄”制度实际上是奴隶主集团对平民、奴隶的专政，堵塞平民、奴隶进身的渠道，阻碍社会阶层正常流动，因而在春秋晚期显得异常陈腐不堪。

列国为强大自身纷纷实施变法。其中，魏国变法最早，秦国变法最彻底。李悝在魏国主持变法，提出“食有劳而禄有功”的治国理念，以功劳而非以身份作为封赏标准。吴起主导楚国变法，积极限制贵族的世袭特权，“使封君之子孙三世而收爵禄，绝灭百吏之禄秩”，然后以收回的爵禄来恩赏有功之人。商鞅在秦国的变法阻力很大，但他坚决推行，收效也最大。新法规定，军功是接受爵禄赏赐的最重要依据。在量功录入时坚持以功绩为主要标准，“见功而行赏，因能而授官”成为用人的重要原则。凡立有军功者，不问身份贵贱，都可以享受相应爵禄；宗室贵族没有军功者不得封邑授爵，取消其世袭特权。商鞅虽死，秦法未败。秦国在战国后期一枝独秀，最终吞灭山东六国，商君功不可没。

军功爵制与“世卿世禄”制有本质的不同，“亲亲尊尊”的原则为“不别亲疏，不殊贵贱”的原则所取代。军功爵制在法理上不考虑血缘宗法关系，因而赏赐的范围不再局限于少数奴隶主贵族，所有建立功勋的将吏、士卒乃至奴隶，只要立有军功，都在赏功酬劳之列。

在军功爵制下，人的主体性、能动性、创造性被激发出来。恰由此因，战国时期活跃于政坛军界的名将贤相大多并不是出身于贵族世家，而以微贱者居多。孙膑是刑徒，吴起是处士，白起、王翦皆为平民，赵奢是田部吏，蔺相如是宦者舍人，李斯是郡小吏，苏秦、张仪、陈轸、范雎、蔡泽等皆寒微之士。乃至汉初“布衣将相”局面的出现也不能全归之于偶然。

这是一个时势造英雄、英雄造时势的伟大时代。哪个英雄不是凡人？当风云际会将凡人推上风口浪尖的那一刻，凡人就不得不扮演英雄的角色，这就是历史使命，他别无选择。恰如司马迁笔下的陈胜惊呼：王侯将相宁有种乎？

然而，时势造英雄是有一定条件的，并非随便哪个人都能出将入相，机遇总是降落在有准备的人身上。

赵佗思忖着，愈发对现状不满。护驾御剑侍卫，这个头衔在别人看来那么光鲜亮丽，在他心中却一文不值。护驾出游，时常目睹始皇帝的尊荣，多么令人艳羡，可在他心中却羞于启齿甚至感到羞耻。昔日晏子出巡，一位仪表堂堂的随从趾高气扬、不可一世，却遭来妻子的鄙夷：“晏子身长不过五尺，出使列国，威震朝堂，尚且谦恭有礼，你堂堂七尺男儿，给人看家护院，做个小跟班，却这般傲慢，不觉得羞耻吗？”赵佗想到这些，不觉一阵寒栗，仿佛父亲在怒视着自己：怎肯甘心于一个小跟班，却还这般安之若素？

是的，他不该如此。燕雀安知鸿鹄之志？他不甘心做名贵的金丝雀，他不能蜗居于此，这样只能离他的理想越来越远，他要做雄鹰，雄鹰当翱翔于天地间，倏忽而下，扶摇直上，纵横驰骋，这才是他的志向。

于是，赵佗主动请缨，要上前线建功立业。

四、或跃在渊：不想当将军的士兵不是好士兵

起初，赵佗只是军中小卒，但他并未自暴自弃，而是倍加珍惜杀敌

立功的好机会。每次作战，他都冲在前面，一路枪林弹雨，九死一生。在战争的历练中，他逐渐成长为一员骁将。

公元前221年，秦始皇用“远交近攻”战略先后剪灭韩、赵、魏、楚、燕、齐六国后，统一形势虽已明朗，却依然面对着北部匈奴和南部百越的割据局面。北击匈奴，南平百越，不敢有一丝懈怠。

在使蒙恬北筑长城而守藩篱的同时，这位千古一帝胸中正筹划着南取百越的战略方针。

正当秦始皇酝酿平越战争时，昔日的贴身保镖跃进他的脑海。经过这些年的征伐，赵佗已经不是那个郁郁不得志的侍卫了。

起初，赵佗只是军中小卒，但他并未自暴自弃，而是倍加珍惜杀敌立功的好机会。每次作战，他都冲在前面，一路枪林弹雨，九死一生。在战争的历练中，他逐渐成长为一员骁将。

公元前218年，秦始皇命大将屠睢统率五十万大军，发动了攻取百越之地的战争，赵佗随军出征。

秦时百越之地是中原人对辽阔的江南之地的统称，即所谓“自交趾至会稽七八千里”的这个区域。约相当于今天的浙江、苏南、上海、皖南、湖北、湖南、江西、广西、福建、台湾、广东等广大地区。秦汉之际，百越族已经逐渐形成几个较强盛而明显的部分：东瓯（大概在今浙江省和江西省东部）、闽越（大概在今福建省）、南越（大概在今广东省和湖南省南部）、西瓯（大概在今广西壮族自治区）和雒越（大概在今广西南部，越南北部），部分地区还建立了政权。滇黔地区被称为“西南夷”，不属于百越的范围。

古代中原人通常称北方民族为“胡”、“狄”，称南方民族为“蛮”、“越”，称东方民族为“夷”，称西方民族为“戎”。越人又称为百越，是古代中原华夏族对南方不同族群的总称。

春秋晚期至战国前期，越人曾在今江浙一带建立强大的越国，共传

8 代，历一百六十多年，与当时中原列强会盟，坐拥江淮，雄视中原，越王勾践卧薪尝胆终成霸业，令中原诸侯为之侧目。

春秋战国时期，百越与中原列国尤其是吴国、楚国、越国就有密切联系。战国后期，百越要么各自为政，过着部落生活，要么臣服楚国受楚国控制。在屠睢、赵佗率大军征讨百越之前，秦始皇二十四年（公元前 223 年），秦灭楚后，继而降服了居住在浙江一带的越人，建置会稽郡。接着又分别征服了居住在今浙江南部一带的东瓯和居住在今福建境内的闽越，设置闽中郡。屠睢、赵佗此次出征的目的是将整个百越之地纳入大秦帝国版图。

百越之地地形、气候、水文等自然状况和民族、语言、风俗等人文状况与中原差别很大。若要顺利攻取百越，必须要对越境和越人有充分的了解，不可盲动轻进，否则必酿祸端。

百越之地是青铜宝剑的故乡，越人铸剑技术名闻天下。春秋战国时期，列强争雄推动了武器的更新换代。春秋末期，吴越两国最早发明了炼钢技术，铁剑最早在吴越地方研制成功，这使得吴越最早实现由青铜时代步入铁器时代。欧冶子、干将、莫邪三人铸剑技术最为精湛，堪称铸剑高手，甚至被称为“铸剑三宗师”。位列“先秦四大刺客”之一的专诸刺杀王僚所使用的鱼肠剑就是欧冶子的作品。据说莫邪、干将与欧冶子师出同门，同样是铸剑好手，越地长期流传他们的英雄事迹，浙江莫干山即由此得名。《战国策·赵策》记载，“吴干之剑”，不光能断牛马，连铜脸盆也一斩两段，称赞的就是干国工匠铸剑技术的神妙之处。越王勾践剑和越王州句剑是越人铸剑技术精良的凿凿铁证。直到勾践去世，青铜剑的铸造技术在越国达到前无古人、后无来者的巅峰状态。

越人不仅擅长铸造刀剑，还擅长使用刀剑。古代越人以勇武好剑著称于世，越人中涌现出一大批驰骋纵横的优秀剑客。“吴越之地，剑气纵横”，“吴越之君皆好勇，故其民至今好用剑，轻死易发”。上至君王贵胄，下至黎民奴隶皆有轻死易发、好勇斗狠之天性，而越人擅铸剑、喜用剑的传统适应了这种天性，反过来又增强了这种天性。

百越之地河网密集，越人“水行而山处”，是天生的习水民族，因而深谙水性，素以善制舟楫，巧于驭舟，首创水师，富于航海经验而著称于世。越人不仅善于在内河驾船，他们的航海远行技术也很发达，在交通十分落后的古代社会，海上交通更属不易，越人借助季风和洋流，一周甚至更短时间就能从江南到达日本。

百越之地山高路险，瘴疠遍生，蛇兽横行。《汉书》记载，淮南王刘安曾力谏攻伐闽越：“越非有城郭邑里也，处溪谷之间，篁竹之中”，“以地图察其山川要塞，相去不过寸数，而间独数百千里，阻险林丛弗能尽著”，“夹以深林丛竹，水道上下击石，林中多蝮蛇猛兽”。越人多聚邑结寨散居于山川要塞、深林丛竹之中，溪谷之间。长期生活于此，适应了这里的自然环境。相对来说，北方人初来乍到，势必难以适应。

越人占据天时、地利、人和，北人长途奔袭，新降者众，胜负之数，存亡之理，不言自明。

素以勇猛著称的主将屠睢所率精锐士卒多是北方人，北方少江河，北人不谙水性，更不习水战。而且五十万人中并不完全是正规军队，有些临时充军，缺乏必要的作战训练，其中还有大量被征发的、用来做后勤保障的役夫。虽有所谓“楼船之师”，但是数量不多，且秦人比例很低，尚有大批刚归降的荆楚、吴越水师，统一调度尚成问题，水上战斗经验也很不足。

对秦军将士来说，岭南是一个完全陌生的地方。五岭当道，气候湿热，秦军推进得十分缓慢。越人抵抗之坚决，超乎人们的预想。他们凭据天险顽强抵抗，异常勇猛，战争进行得异常艰难，秦军每推进一步都要付出沉痛的代价。

然而，屠睢大将军是勇武有力的坚强领导，凭借在扫灭六国中的卓越表现深得秦始皇赏识。屠睢与众将商议，决定分五路大军齐头并进，一举攻灭百越。《淮南子·人间训》记载，秦始皇“利越地之犀角、象齿、翡翠、珠玑”，“乃使尉屠睢发卒五十万为五军，一军塞镡城(今湖南靖县境)之岭，一军守九嶷(今湖南江华境)之塞，一军处番禺(今广州)之都，一军守南野(今江西南康境)之界，一军结余干(今江西余干境)之水”。可见，秦始皇和屠睢是多么重视这场战争。

始入越境，秦师一路势如破竹，所向披靡，攻无不克，战无不胜，敌人纷纷卸甲归降。在余干水口驻扎的秦军经过一番休整之后，在东线指挥官赵佗的率领下，溯余水（今信江）而上，先封堵闽越人出入口。然后再越武夷山，直入今福建境内，一路势如破竹，征服了东瓯（今浙江温州一带）和闽越（今福建地区）。同为越王勾践后裔的闽越王无诸和东瓯王摇投降大秦帝国，被废为君长，他们所统辖的闽越故地被设置为闽中郡。

随后赵佗指挥秦军经九嶷要塞，顺北江而下，直达珠江三角洲，并迅速占领了番禺。攻掠番禺后，赵佗并未沾沾自喜，而是立即选派士卒将吏四处走访调查，了解山川、水文、民风、经济和越人军事力量等。他在越地实行剿抚结合政策，深得人心，越人也多甘愿臣服，在越地建立稳固基础，与屠睢大军遥相呼应。

赵佗遂声名鹊起，全军上下皆言其勇。

捷报传来，屠睢志得意满，平越形势一片大好，眼看这片大好河山将要纳入大秦帝国版图了。

赵佗在这场战争中英勇厮杀，充分展现了他的军事才干，在战略战术和权谋的运用上也得到了很好地锻炼，可他并不满足于做一个依计听命的将吏，他像雄鹰一样渴望翱翔蓝天。不想当将军的士兵不是好士兵，不想做主帅的将军也不是好将军。

可是，其他几路大军进展却不那么顺利，尤其是进攻广西地区的两支大军一路受阻，疲于应对。

百越之中，南越和西瓯最为强盛，抵抗力度也最强的。他们善于跋山涉水，利用当地山青林密、河谷纵横的熟悉地形，或白天袭击小股秦军，或夜间偷袭秦军大营，或截取秦军粮食，将秦军搅扰得苦不堪言。越人的坚决抵抗使得秦军遭到重大挫折，士卒不断减员，后勤补给也难以运往前线，军心涣散，士气低落。

屠睢亲率大军前往征讨，但遭到越人的顽强抵抗。西瓯人在首领译吁宋的率领下多次给秦军以重创，秦军死伤惨重，大军每前进一步都要付出沉重代价，向前推进的步伐受到严重阻滞。

兵法有云：兵马未动，粮草先行。

西瓯山高路险，茫茫林海，只有羊肠小道，粮车难以通过，后勤物资补给困难。南征大军举步维艰。

正当全军上下一筹莫展之际，监御史史禄向秦始皇献上一个大胆的计策：凿通湘水和漓水，沟通长江水系和珠江水系。为了扭转兵力不足、粮草供给的困难局面，秦始皇启动了这一大胆而冒险的计划。

公元前217年，秦始皇命史禄在今广西兴安县境内开凿沟通湘水和漓水的灵渠。灵渠开通后，秦军的粮饷得以源源不断地运到岭南。秦军得到补给，军心大振，试图一举歼灭西瓯人。起初，秦军进攻西瓯很顺利，杀了西瓯首领译吁宋。然而，这并未迫使西瓯人屈服，反而导致他们更大的仇恨和更大规模的报复。在生死危亡的紧要关头，西瓯人表现出了顽强的斗争精神，史载越人“皆入丛薄中，与禽兽处，莫肯为秦虏”，一息尚存，斗争不已，誓死不降。

随着一系列战役的胜利，屠睢的野心被点燃了。他效法王翦、白起等攻灭山东六国的作战风格，企图依靠强势武力一鼓作气平定百越。起初，秦军一路攻城略地，进展神速，可是后来则不如战争初期那样顺利。屠睢沉浸在攻杀的快感中，引起越人的极大愤慨。秦军每攻克一地就要分兵把守，且不时受越人袭扰，士卒减员严重，用于前线作战的力量捉襟见肘。

曾几何时，在平原与敌军冲杀的秦军多么的不可一世，弓弩狂射，钩戟猛刺，刀锋所指，人头落地，势不可挡。如今秦军来到这丛林密布、酷热潮湿、山河交错的百越战场，大军团作战优势无法淋漓尽致地发挥。

而失去家园的越人义愤填膺，越战越勇。他们钻进深山老林，神出鬼没，与秦军展开“游击战”，秦军备受困扰，叫苦连天。

屠睢恼羞成怒，严令镇压所有不尊重大秦帝国的力量，对越人实行野蛮的屠戮政策，连妇孺老幼都不放过，大量越人村落被血洗。屠睢的大开杀戒激起越人满腔怒火，越人恨不得生食其肉。一日，当屠睢率一支轻骑到西江畔的三罗地域巡视时，路经一大片树林，当地越人早已埋伏在林中。当屠睢进入林中时，乱箭齐发。屠睢挥剑护身，无奈射来的箭过于密集，而且这些箭都是浸泡过蛇蝎剧毒的，他的面颊与身上中了两箭，当场从马背跌落，气绝而亡。

主帅被杀，粮食将尽，粮道被断，“伏尸流血数十万”，秦军一片混乱。越人趁机反攻，迫使秦军退至五岭之线（今大庾、临贺、始安、桂阳、揭阳五岭）。各路讨越军队向内收缩，赵佗也受命班师回援。此后，秦越之战陷入相持阶段，秦军“三年不解甲弛弩”，以伺机再战。

此次屠睢出征因水土不服、补给不畅、滥杀无辜致使平越战争受挫。

秦始皇需要另选贤将，调整方略，集结战争物资，重新部署军力。

五、飞龙在天：大展身手的时刻终于到了

赵佗显示出卓越的军事才能，指挥部队英勇突击，战争不断取得胜利，他成为军中的得力干将。

胜败乃兵家常事。秦始皇没有因为屠睢轻敌滥杀导致伐越失败就灰心丧气、一蹶不振。

越人击退秦军后气势正盛，此时万万不可再用屠睢这样只管杀伐、不懂怀柔的将领了。

此时有人提出让赵佗任中军主帅，再度攻伐百越。

赵佗在第一次平越战争中崭露头角，独领风骚。这位二十多岁的年

轻将领威名远扬，很快就在军中树立起了崇高的威望。他踌躇满志、摩拳擦掌，期待在第二次平越战争中大展身手。

群臣惶惶不敢附和，依秦律，被举荐之人若不堪重用，举荐者连坐问罪，搞不好就要掉脑袋的。

其实，秦始皇心中早已属意此人，不过还是顾虑重重，毕竟军国大事非同小可。在第一次平越战争中脱颖而出的赵佗将军虽然骁勇善战，不过还是太年轻，资历太浅，恐难以服众，中军主帅应该选派门第、资历、德行、才干、威望俱备的人，否则难以慑服数十万将士。

经过一番深思熟虑，南征军团主帅选定，任嚣老将军挂帅出征，赵佗任其副将。

任嚣乃秦国名将，世出名门，是任不齐的七世孙。任不齐，春秋时期楚国人，相传为孔子七十二贤弟子之一，被认为是任姓始祖。任不齐通六艺，工诗、礼、乐。楚王听说他的贤明，想聘他为上卿而被他拒绝。后潜心著述，不问世事，在当时和后世都享有盛誉。

选派任嚣的另一个原因是他历来遵礼守法，政见一向与扶苏相契合。在皇储问题上，身为武将的任嚣和赵佗本是没有发言权的。但与朝堂之上诸多骨鲠之臣一样，二人属意长子扶苏。当接到朝廷诏令平定百越时，他们觉得机不可失，失不再来，定要在岭南干出一番轰轰烈烈的大事，同时随时可以发兵勤王以应对任何对扶苏图谋不轨的变局。

任嚣出征，浩浩荡荡，旌旗猎猎，一路驰骋，直扑岭南。

经过第一次平越战争的失败，秦军将士意识到越人并非如想象般的不堪一击。出征前，秦始皇一再交代此番出征志在必得，任嚣、赵佗自然不敢有丝毫怠慢。

任嚣的确比屠睢稳重得多。他积极调整战略部署，每到一地必先派人四处活动，了解山川险阻、风土人情，对越人刚柔相济、剿抚并用，必要时不惜“以越制越”，这些是他克敌制胜的法宝。任嚣以身作则，感染了秦军将士。秦军上下积极进行战争动员，认真研究作战方案，采取重点突破的方式，加强正面和敌后战场的攻势。

赵佗作为副将，最初担任后援的任务。当前方突击遇到困难时，他及部属便被派往阵前，由后援部队变成突击队。赵佗显示出卓越的军事才能，指挥部队英勇突击，战争不断取得胜利，他成为军中的得力干将，备受主将任嚣的器重。

任嚣、赵佗步步为营，筑营守险，避免了孤军冒进。秦军中有一部分留守在岭南的各个逾岭关隘，确保秦军主力进退有度。很快秦军就扭转了战争的被动局面。

总攻时刻到了。秦军将士个个如猛虎下山般攻入越地，一路势如破竹，风卷残云，很快便击溃了西瓯人设置的重重防线，并南下交趾（今越南中北部）。经过数年艰苦战争，到公元前 214 年，整个岭南地区都划入了秦朝版图。

岭南虽然最终得以武力平定，但是双方都损失惨重。百越之地哀嚎遍野、父失其子，妻失其夫，儿失其父，一切都是那么令人心碎。任嚣、赵佗当如何经营岭南，还一个太平世道？

秦平岭南之战是秦始皇实现大一统的重要一步。在中国历史上，岭南第一次正式纳入中原王朝的版图中，越族也成为中华民族大家庭的一员。

岭南平定后，秦始皇以郡县制为基础在此地推行中央集权制。郡设守、尉、监御史等分掌政务、军事和监察，县设令或长，管理各郡县。秦朝先后在此设置了南海郡、桂林郡、象郡，直接由中央委派官吏统辖，任嚣为南海郡尉，刘逸为桂林郡尉，方弼为象郡尉，百越首领听命朝廷和郡县官衙号令，恰如贾谊在《过秦论》中所言“南取百越之地，以为桂林、象郡；百越之君，俯首系颈，委命下吏”。

中军主帅任嚣主政岭南，管辖地区约相当于今日的广东中东部大部分地区。任嚣成了岭南最高行政和军事长官，拥有五十万经过长期战火洗礼的边军，是当时统领秦军最多的边军将领。作为首任南海郡尉，任嚣还被授命节制象郡、桂林二郡官员，故有“东南一尉”之称。

为加强对岭南的治理，任嚣命人在番山和禺山之间修筑了一座“袤四里”的城池，俗称“任嚣城”，它是广州建城史的开端。

岭南新服之地尚有诸多不稳定因素。为了守住战争成果，维护岭南长治久安，秦始皇诏令任嚣所率五十万人不得北归，一率就地屯田戍边。秦人越五岭、平百越付出了沉重的代价，士卒伤亡无数，越人劳动力也锐减，岭南蛮荒之地亟待开发，劳动力十分匮乏。在任嚣和赵佗的积极建议下，秦始皇命令被秦所亡六国贵戚、官吏、商贾、役夫、刑徒、移民和一万余无夫之女由中原迁居岭南，就地屯垦，与越人杂居。留守的将士和中原移民多与越人结婚生子，在长期的共同生活中，生活习俗与越人融合在一起，中原文化逐渐融入百越文化，成为早期民族融合和文化交融的典范。

迁居越地的中原人为岭南带来了先进的文化和农业、手工业技术，为中原与百越经济文化交流、岭南经济开发和社会稳定都做出了积极贡献。

赵佗在一系列征伐和建设中积累了宝贵的执政经验，为日后主政岭南打下了坚实的基础。

第四章

南面称孤：岭南始建政权

北向称臣？他着实心有不甘，想我豪杰之士怎肯屈居他人之下！面对中原王朝陈兵列阵，他又无计可施。为了国祚绵长，黎民安居，他妥协了。

果然好景不长，吕后临朝，汉越交恶，赵佗要孤注一掷，自立为帝，找回丢失的尊严。

古人云：燕赵大地自古多慷慨悲歌之士。取百越，镇岭南，开疆土，励耕织，置守吏，通闽吴，抚西南夷，被毛泽东誉为“南下干部第一人”的赵佗算得上是这个伟大时代的风流人物吧。

一、见龙卸甲：主政龙川

赵佗素来怀抱“仁政爱民”的政治理想，一上任便采取“和辑百越”的政策，主动调和汉人与越人的关系，引进铁农具用于耕种，改善民生，试图用中原文明的火种给人烟稀少、物产微薄、蛇兽出没的荒蛮之地带来光明。

公元前214年，平定岭南后，秦朝在南海郡下设置番禺、龙川、揭阳、博罗四县，任命王文瑞为番禺县令，赵佗为龙川县令，张泰为揭阳县令，周克长为博罗县令，皆受南海郡尉任嚣节制。

从此赵佗有了专属领地，是时赵佗只是二十多岁的青年。战争远去，利剑卸下。赵佗的军事才干已经得到淋漓尽致的发挥，以后就要考验他的政治才干了。

秦汉时的龙川疆域辽阔，辖区面积约两万平方公里。其范围包括今龙川、兴宁、五华、河源、连平、和平等县的全部及紫金、新丰、陆丰和江西寻乌、定南等县的一部分。

赵佗前往龙川赴任，途径紫金，见山势雄浑，便登高远眺，放眼四野，看到泉水长流，上可望河源、龙川，下可望归善、博罗，东能眺义容、青溪，西能览罗浮山系，整个东江中游水系全境几乎一览无余，确实有山中王者气派。赵佗意气风发，踌躇满志，后来受封为“南越王”，这座石山便被称为“越王石”。

古代的越人非常强悍，越人之俗好相攻击，彼此互不统属，各自为政，这是原始社会末期部族战争的残存形式。在长期的历史演进中，土著居民还在东江流域建立了军事联盟式土邦小国，为秦朝先进制度的引入也准备了必要的条件。先秦时期，岭南存在不少由百越人组成的土邦小国，多处于部落氏族或氏族军事联盟阶段，各有种姓、君长，互不统属。由于各土邦力量弱小，不堪与秦军抗衡，因而多接受秦朝的封赐。

赵佗在故有的土邦小国基础上推行秦朝先进的政治制度，任用土邦首领为地方长官，因地因俗而治的政策赢得了这些土著人的信赖，顺利地实现对龙川地区的统治。

赵佗素来怀抱“仁政爱民”的政治理想，一上任便采取“和辑百越”的政策，主动调和汉人与越人的关系。他还注重从中原引进铁农具用于耕种，改善民生，试图用中原文明的火种给人烟稀少、物产微薄、蛇兽出没的荒蛮之地带来光明。

为了进一步开发岭南，他多次上书朝廷要求继续组织中原移民迁居越地。秦始皇应其要求迁移万余名未婚女子到此与士卒通婚繁衍，此外还有大量逋亡人、赘婿、工匠、贾人或是犯有过失的狱吏也被迁移至此。他们带来了中原地区先进的经济、文化、农业和手工业技术等，并和当地越人一起开发龙川，改变了龙川当地刀耕火种落后的局面。

为了更加有效地统辖岭南，赵佗仿照任嚣在番山和禺山之间构筑的番禺城，在龙川兴土木、筑城池、兴衙署。赵佗当时选定佗城为龙川治所，是因为其优越的地理条件。这里江水若龙，群山似虎，西可至梅关，东可达闽越，南可抵南海，进可出江西通往中原，退则易守难攻，战略地位十分重要。

在构筑城池过程中，赵佗还成功化解了越人关于兴土木的风波，更加受到越人爱戴。龙川土著素来好鬼神、喜迷信。他们认为，没有祭拜神灵就贸然掘土伐木会受到神灵惩罚，有些越人头领还认为遭报应的不仅包括中原移民，还包括不加阻止的越人。于是，越人成群结队，以死相抗。面对气势汹汹的越人抵制，秦军将领也不敢放纵士卒擅掘地土、擅伐山林。任嚣和赵佗商议，决定无论如何不能像屠睢那样采取歧视和杀戮越人的愚蠢政策，否则也很可能招来杀身之祸，破坏秦始皇的岭南方略。赵佗训诫士卒一定要尊重越人的风俗习惯，主动示好，对越人动之以情，晓之以理。在土著俞宋和吕嘉的协助下，剑拔弩张的气氛缓解了，双方捐弃前嫌，增强了彼此互信。公允地说，越人能够接受中原人在自己的土地上大兴土木是与赵佗的开明政策和真心诚意分不开的。

兴土建城风波平息不久，新的麻烦又来了。远离故乡移居岭南的中原人时常思念故土故人，长期的艰苦生活使他们倍加感受到家乡的美好。这种思乡情绪像瘟疫一样在军旅百姓之中传播，有些士卒甚至不顾苛酷的秦法，悄悄翻山越岭逃回故乡与亲人团聚。赵佗无奈斩杀了一些士卒，但仍没有遏制住逃跑行为。赵佗陷入了沉思，他的父母兄弟都在真定老家，他何尝不思念故土亲人呢？作为将领和一县之主，这些出生入死的士卒情同手足，需要待之以诚，万不可再行杀戮之事。

可是，逃兵问题必须解决，否则军心涣散，将会酿成更大的灾祸。赵佗找任嚣商议，决定再次上书请求朝廷再派中原女子迁居岭南，不仅如此，还允许秦军士卒和中原移民与越族女子通婚。这样便大大缓解了士卒们的思乡之苦。赵佗抚绥有道，恩洽扬夷，士卒和中原移民很快安定下来。士卒和移民乃至越人对赵佗俯首听命、恭敬有加。得人心者得天下，此言非虚。

赵佗主政龙川期间，还十分重视文明开化，尊师重教。他还大力推广汉字和中原话，试图“以诗礼化其民”，还遍访名流，礼贤下士，礼聘高人为越人普及知识。据传楚国遗民名士霍龙，为避战乱隐居龙川霍山，闭门谢客，潜心著述。赵佗闻讯，如获至宝，请求当地长老代为入山礼聘霍龙出山布道。霍龙耳闻赵佗在平定南越时攻伐不已，以为他是个杀人魔头，拒绝出山，赵佗只好亲自进山拜师。他与随从乔装成越人登门拜访，直奔霍山太乙岩寺院进香，后由寺院主持引见霍龙。赵佗遂向霍龙表达拜师之诚意，霍龙一看来人神情仪态，已明白三分，此人绝非等闲之辈。赵佗等人虽然作过一番乔装，但言谈举止，怎能瞒得过久经世面的名士。霍龙似有拒绝之意，不过转念一想，此人到底是杀人恶魔还是一代英豪，还是需要亲自查验。最终，霍龙毅然收下赵佗为徒。赵佗大喜过望，此后，他早上跑马射箭，下午聆听霍龙耳提面命，傍晚促膝谈心。某日，赵佗谈及秦帝国统一宇内之事，试探霍龙。果不其然，霍龙闻言面露怒色，痛斥：“秦皇并吞六国，连年战乱，弄得民不聊生，哀鸿遍野。”赵佗耐心地向他解释说：“一国之内，诸侯并立，烽烟四起，攻掠不已，民生凋敝，国无宁日。秦并六国，实为结束分裂，实现统一，唯其如此，兵戈方得偃息，流血方能停止，人民方得安居。”霍龙听罢，觉得有一些道理，师徒二人关系更加融洽。

赵佗拜师学艺期间，发现寺院内不少人面黄肌瘦、无精打采，经询问得知此病在民间被称为“黄肿病”，许多越民患有此病，可是总是任其自生自灭，并未得到有效治疗。赵佗命随从下山召集郎中进山诊治，医生诊断是寄生虫渗入体内，并非不治之症，只要将寄生虫消灭，此病就会治愈。赵佗立即下令懂得医术之人帮助越民治病，并讲专业人士传授救治方法。

赵佗上山日久，还有不少政务需要处理，他自知难隐真情，遂坦诚向霍龙将实情和盘托出，请求霍龙出山主持教化。霍龙深知赵佗深明大义、爱民如子，就爽快答应了。赵佗拜师求贤目的达到，便拜别霍龙。霍龙临别赠言：“草民才疏学浅，承蒙大人厚爱，自当竭尽全力。大人志行高洁，豪气干云，日后必有大成，作为父母官，以诗书化国俗，以仁义和人心，征恶扬善，除暴安民，普济天下。”赵佗如获至宝，将师傅的金玉良言铭记于心。

赵佗下山后，谨遵霍龙教诲，兴办学宫，推广汉字，规劝子孙重视诗书礼乐。赵佗尊师重教的故事传开，流风所及，影响至深至远。民间稍具影响的家族都争相兴办自己的族学，将学校设置在供奉神灵和先祖的宗祠内，还设立“儒资谷”、“学田”专门资助读书人。

赵佗主政龙川六年，百姓安居乐业，生产水平和生活水平都显著提高。

主政龙川，赵佗得以小试牛刀，积累了治理郡县的宝贵经验，更深刻地了解到岭南的风土民情，为将来代理南海郡尉和建立南越国打下了基础。

二、贵人相助：佗之王，嚣成之

任嚣暗中考察了同其一起南下的秦军将吏，最后认定其他人的才能都不能担当起划地自守、称雄岭南的大任，唯有龙川令赵佗可以担当此任。任嚣于是重点培养赵佗为自己的接班人，往往在重大事情上对其委以重任。

正当任嚣、赵佗经营南岭之际，北方正经历着一件影响历史走向的大事。

秦始皇三十七年（公元前210年），在始皇帝第五次东巡途中，发生了惊心动魄的沙丘之变。

此次巡游，始皇帝已感体力不支，但“东南有天子气”的谶语在皇帝的脑海中阴魂不散。他必须拖着病躯前往遏制，消除天子气，以保祖宗万世之基业。

他多次遣使去东海仙岛求长生不死之药，还广求民间秘方，迷信道术，希冀自己的生命能够延续下去。可是，而今他似乎明白了长生不老是不可能了，否则也不会征发徭役修筑皇陵了。

其实，他心中已经对身后之事做了妥当处置。长子扶苏宅心仁厚，是富有远见的政治家，在朝野上下都享有很高的威望，早就被群臣、百姓视为皇储，理当立为太子，世袭其国。

可父子俩政见尖锐对立，导致父子关系隔阂，这就给小人从中作梗以可乘之机。扶苏历来不认同以苛暴之政治国，竭力主张以民为本，广施仁政，这显然是秦始皇所难以容忍的。秦始皇以法为教，以吏为师，决定“焚百家之书”，重惩“妖言惑众”的儒生们。扶苏跪倒在秦始皇面前，失声痛哭，央求秦始皇停止焚书、放过议论朝政的儒生们。他认为天下初定，黎民未安，坚决反对实行“焚书坑儒”、“重法绳之臣”等为政理念，触怒了秦始皇，被贬到上郡任蒙恬监军。

这一幕幕在秦始皇眼前浮现，他内心是属意扶苏的，让他去蒙恬军中锻造一番也不错，为以后执政积累经验和威望。可是，而今大限将至，也不知道儿子在前线如何了？

秦始皇的小儿子胡亥年已弱冠，一向讨得皇帝欢心，也被允诺随驾。随驾的还有丞相李斯、权阉赵高和大将章邯。

秦始皇离开咸阳后，首先到达云梦泽，继而顺江而下直抵吴越。后来又北上彭城、丰、沛一带，准备西返咸阳。不料，当大队人马一路浩浩荡荡西归之时，皇帝因一路劳顿病倒了。虽多方医治仍不见起色，随驾御医诚惶诚恐。

始皇帝虽大张旗鼓地修筑皇陵，却极其忌讳谈及死亡，在他眼中，皇帝是不会死的，会死的只有那些如蝼蚁一般卑贱的百姓。

始皇帝病重，大臣们却不敢议论。

为了减少颠簸，行军的速度也放缓了不少。

好不容易到了沙丘之地（今河北省广宗县），始皇帝感到大限将至，才慌忙命赵高给长子扶苏写遗诏，要求他将兵权交给蒙恬，火速赶回咸阳登基即位。遗诏尚未发出，这位声名远扬、威镇寰宇的始皇帝就一命呜呼了。

大秦帝国的天塌下来了！

这个庞大帝国过去似乎都因为这位威权皇帝的存在而存在着。现在皇帝归西，谁来掌控这个庞大帝国？

秦始皇驾崩后，赵高害怕扶苏即位执政威胁到他的切身利益，便找到丞相李斯。李斯也顾虑皇帝驾崩会引起时局动荡。两人商量："沙丘地处偏远，都城咸阳尚在一千多里之外，不是短日就能赶回的，万一皇上驾崩的消息传出，天下势必大乱，因而最好秘不发丧，一切都等赶回咸阳再说。"

于是，他们把秦始皇的尸体安放在一辆由工匠特制的"辒凉车"中，还矫诏命人买来大量咸鱼，令百官车上各载一石以免有人闻到尸臭。关上车门，放下窗帷，外面的人什么也看不见。这种车车厢上有排窗，闭之则温，开之则凉。几个亲信宦者驾车、陪乘，每天照常往车上端茶送膳，似乎一切都没有发生。百官奏事则由陪乘宦者收受，悄悄交由李斯裁决可否，再假托秦始皇的名义发出。因此，除了极少数几个人以外，其他随行人众，竟没有一个人知道秦始皇已死。秦始皇一生行动诡秘，深藏不露，一般臣下罕见其面，因此，也没有人会怀疑。这些诡秘的措施，却为赵高施展阴谋提供了机遇。

赵高诱迫胡亥、李斯，伪造遗诏，训斥扶苏在蒙恬屯兵时期"士卒多耗，无尺寸之功"，且"为人不孝"、"上书直言诽谤"，责令自裁。扶苏仁孝，对蒙恬说："自古以来，君叫臣死，臣不得不死；父叫子亡，子不得不亡。"坚决不听蒙恬建议，担心抗旨会导致身败名裂、社稷不安，遂自尽。

赵高、李斯阴谋得逞，胡亥顺利即位，是为秦二世。

秦政苛滥，赋税徭役沉重，百姓苦不堪言。

秦始皇为了抵抗匈奴，派人建造长城，发兵三十万，征集了民夫几十万；为了开发南方，动员了军民三十万。他又调用七十万囚犯，动工建造了一座巨大豪华的阿房宫。

秦二世初即位不思与民休息，反而变本加厉，从各地征调几十万囚徒和民夫，大兴土木，民不聊生。那时候，全国人口不过两千万，前后被征发的劳役达到二百万人以上，且不包括幼童和妇女。每日大批的人被活活累死、饿死、病死，有不少人在工程建好后被残忍地杀害。人人都知道一旦被征发，则九死一生。年迈的父母害怕失去儿子，妻子担心失去丈夫，儿女唯恐失去父亲。一时间，举国上下，哀嚎遍野，人人自危，怨声载道。

胡亥昏聩，赵高弄权。朝堂之上，骨鲠之臣或杀或逐，奸佞之辈或狂或喜。

举国干柴，只待烈火。

秦二世元年（公元前209年）秋，行至蕲县大泽乡的戍卒900人在陈胜、吴广率领下揭竿为旗、斩木为兵。陈胜、吴广振臂一呼，各地义军遥相呼应，纷纷加入推翻暴秦的队伍中。一时间，中原一片喧嚣，四方扰攘，豪俊相斗，你争我夺。各种角色、各种势力粉墨登场。

反抗暴秦统治的序幕正式拉开了。

危急时刻，秦二世想起了快被人们遗忘的任嚣、赵佗所率的数十万南征秦军，便火速传令其挥师北上勤王剿贼。

任嚣接到勤王诏令，思忖良久，找来了赵佗商议对策。

秦王朝在岭南的统治是极为短暂和不稳固的。中原动乱，岭南风云翻滚，人心浮动。

岭南到中原不远万里，路途险远，后勤辎重难以为继，且南方战火已灭，奉命屯守的士卒多已成家立业，不愿再拿起武器到战场拼杀。

任嚣、赵佗军团号称五十万之众，实则包含刑徒、役夫及随军家属，战斗力较弱，即使派遣精锐之师驰援，也难以取胜。

任嚣、赵佗对暴秦统治深恶痛绝，对秦朝心灰意冷。他们十分同情扶苏，鄙弃胡亥，秦始皇死后，他们失去了值得效忠的主人。

中原群雄并举，秦朝大势已去，此时出兵勤王无异于飞蛾扑火，与天下人为敌。况且朝廷已经失去对岭南的控制力，无法调动岭南军队。

大秦帝国连年横征暴敛惹得天怒人怨实属咎由自取，气数已尽，无力回天。他们是不会像李斯之流那样抱住暴秦这根朽木不放的。

隔岸观火，静待时变。这才是最明智的选择。

刘邦率军攻入关中，暴秦灭亡，但中原战火却愈演愈烈。

楚汉战争打得难解难分之际，项羽也曾想将赵佗拉拢到自己阵营，自然遭到正在隔岸观火而意图拥兵自立的赵佗的坚决拒绝。项羽恼羞成怒，便将赵佗视为仇敌，命令受他分封的衡山王吴芮进攻赵佗。接到西楚霸王的命令，吴芮不敢怠慢，又恐引火上身，便只对赵佗做了试探性进攻。项羽这种使亲者痛、仇者快的做法将任嚣、赵佗生生地往刘邦阵营里推。

赵佗早已痛恨暴秦的统治，有意加入讨伐秦朝的队伍中，但被任嚣制止。任嚣认为他们都是秦朝将领，带领的大军也都是秦军，不忍心趁诸侯起兵时诛除暴秦，而且岭南战乱方息，应顺承天命，与民休息，防范战火南引。

其实，事情并不像想象的那么简单。任嚣胸中的格局比尚且年少轻狂的赵佗要大得多。

任嚣心中时常闪动着一个大胆的想法：割据自立。面对气势汹汹的抗秦义军，他不会糊涂到率领大军做飞蛾扑火式自杀，但他也不愿意参与中原诸侯反抗暴秦的行动，而是推出一套划岭而治、保境安民、割据一方的政治构想。

楚汉两雄争强，到底鹿死谁手、花落谁家？对于这些，任嚣似乎并不关心，无论问鼎皇位的是谁，他关心的只是岭南割据自守，因而，最好的对策是：按兵不动，坐山观虎斗。

岭南诸郡是新服之地，越人还时有反抗，秦朝要巩固统治，务必强化军事统治。岭南属偏远之地，与朝廷联系十分困难，秦朝素来将北边的匈奴和南方的百越视为劲敌，若实施有效管辖务必对百越实行特殊处理，树立一位位高权重的长官。任嚣在军中威望甚高，治理边疆有方，自然被任命为首席经略大臣。秦始皇命任嚣节制岭南三郡，实际上是肯定了任嚣在岭南至尊无上的地位，这也给任嚣割据自治思想的形成提供了便利。

任嚣暗中考察了同其一起南下的秦军将吏，最后认定其他人的才能都不能担当起划地自守、称雄岭南的大任，唯有龙川令赵佗可以担当此任。任嚣于是重点培养赵佗为自己的接班人，往往在重大事情上对其委以重任。从岭南日后发展的历史进程来看，任嚣此举是颇具眼光的。当时，赵佗虽然是一个县令，但他曾领军南征并建立了卓越功勋，具有杰出的军事指挥才能。后来又在龙川担任地方官多年，龙川大治表明其有治理郡县的才能。综合来讲，赵佗的军事才干、政治才干、统驭越人的谋略以及他个人威望和人格魅力都优于其他军吏。

由于长期在瘴疠遍生的丛林中生活，任嚣的身体日益衰垮，委任接班人的事情便被提上议事日程。据《史记·南越列传》记载，任嚣临终前将赵佗叫到身边说："闻陈胜等作乱，秦为无道，天下苦之，项羽、刘季、陈胜、吴广等州郡各共兴军聚众，虎争天下，中国扰乱，未知所安，豪杰畔秦相立。南海僻远，吾恐盗兵侵地至此，吾欲兴兵绝新道，自备，待诸侯变，会病甚。且番禺负山险，阻南海，东西数千里，颇有中国人相辅，此亦一州之主也，可以立国。郡中长吏无足与言者，故召公告之。"随即将南海尉印信交予赵佗，令他行南海尉事。

公元前207年，任嚣病逝，赵佗失去了这位生命中的贵人，不禁痛哭流涕。

他谨遵任嚣遗嘱，封关绝道，筑起了三道防线，聚兵自卫。赵佗首先牢牢控制了南海郡，静观中原之变。赵佗审时度势，充分利用岭南的险要地理环境和有利时机，有效阻止了战火向岭南蔓延。

任嚣所谓“负山险”主要是指横卧在江西、湖南、广东和广西边境的五岭，即今天江西大庾县与广东南雄县联界的大庾岭，湖南郴州与广东交界的骑田岭，湖南蓝山县与广东西北交界的都庞岭，湘桂交界的萌渚岭，广西兴安县和湖南交界的越城岭。“五岭北来峰在地，九州南尽水浮天。”番禺北控五岭，近扼三江，是战略要地。秦始皇当初下令筑新道时，在新道的岭口要塞和战略要地修筑了五大关卡。其一为严关，在广西灵渠口，并筑有一城，名为“秦城”，控制由湖南入岭南的水路，保证灵渠水道畅通；其二为阳山关，在广西阳山骑田岭古道附近，目的是控制通往湖南的水陆交通要道；其三是湟溪关，在阳山、连县交界处的茂溪口，控制另一条由湖南入岭南的通道；其四为横浦关，在江西入广东的大庾岭上,即今南雄附近的“梅关”,地势险峻,又称“岭南第一关”，控制大庾岭道；其五为讵浦关，在连江口北岸的江口嘴山上，主要是保障秦通南越的两条新道畅通，同时防止越人北上袭击岭北地区。这五关除讵浦关外，其余四关都是任嚣征岭南过程中设置的，修新道时又进行了扩建和加固。

赵佗深得防御要领，为防止战火蔓延至岭南，严封五岭的四关——横浦关、湟溪关、讵浦关、阳山关。中原移居岭南者人心思定，不愿卷入战乱之中，加上赵佗得到任嚣生前的大力支持，封关绝道的命令很快执行下去了。随后，他还断绝四条新道，构筑了防御番禺的三道防线。赵佗构筑的防御体系可谓固若金汤，北兵要逾五岭攻南越必须先破这四处关隘和三道防线。南海郡成了一个易守难攻的暂时封闭地域。于是在中原战火纷飞的数年间，岭南始终保持安定，百姓也避免了战火的荼毒、铁蹄的蹂躏。

赵佗封关绝道后，便着手巩固权力。他在任嚣死后立即传檄各地，表示接管权力。发布给横浦关、阳山关、湟溪关等关隘的檄文称："中原叛乱的军队即将前来袭扰，我们要疾速断绝道路，集中力量，拥兵自保。"深谙秦法的赵佗担心各地秦吏不听调遣，便寻找借口把长吏官阶以上的异己分子全部铲除，关键岗位上都换上了他的亲信。经过数年经营，赵佗已经树立了对这块领地的绝对统治权。

秦末岭南处于原始社会末期，分属不同的部落，部落时战时和，关系极不稳定。桂林郡、象郡的越人趁中原扰攘之际纷纷自立旗号，如果任其态势蔓延，南海郡东西门户大开，赵佗绝秦关、守五岭将变得毫无意义，如果中原战火烧至岭南，割据计划也将化为泡影。

公元前 206 年，大秦帝国灭亡。可是，中原战场并未偃旗息鼓，烈火愈烧愈旺。

秦朝覆亡，赵佗及其所率秦军将士彻底断绝了效忠朝廷的念头。

岭南越人中的有识者也认识到赵佗在岭南的声望日隆，他日必将主宰岭南越人的命运，因而纷纷表示臣服。

此时中原战场楚汉之争正难解难分，项羽、刘邦都无暇南顾。真是天赐良机，赵佗决定趁机积蓄力量，以图割据自立。

秦朝灭亡后，群雄逐鹿中原，无人过问岭南边陲之事，赵佗得以放开手脚大展身手。公元前 205 年，赵佗挥师吞并桂林郡、象郡，统一岭南地区，收编了两郡秦兵和部分越人武装。他深知越人好斗，绝非仅靠武力就可使其臣服，因而他利用当地土著头领，广施怀柔之政以笼络人心，将偏远的象郡划为交趾、九真二郡，委派两位"典主"前往治理，还在交趾封了一位西于王，令其相互牵制，务求将军政实权牢牢掌握在自己手中。

从此，岭南政令归一，呈现太平景象，为割据称雄创造了良好的条件。

三、赵佗称王：岭南始建政权

公元前203年，南海郡尉赵佗在中原人和越人的共同拥戴下建立南越国，自称南越武王，定都番禺。威风凛凛，旌旗猎猎，群臣山呼，声彻云霄，何其壮哉！

公元前203年，南海郡尉赵佗在中原人和越人的共同拥戴下建立南越国，自称“南越武王”，定都番禺。威风凛凛，旌旗猎猎，金戈铁马，群臣山呼，声彻云霄，何其壮哉！

赵佗自称“南越武王”可不得了。通常，君王自称“文王”、“武王”之类是不合惯例的，这些通常是君王死后由继位君主所尊奉的谥号。赵佗一反古制，生前就自称“武王”，表明他自视很勇武，自以为凭借武力在岭南称王建国，武功非凡，故而称“武王”，以彰显其功德。

赵佗割据岭南，在秦汉之际群雄并起的纷乱时代里独树一帜，成为一路诸侯。消息传开，百越之民无不振奋，中原豪俊无不向往。

南越国号称“东西万余里”，它的统治疆域大致就是秦朝南海郡、桂林郡、象郡，统治中心在南海郡。南越国的北部边界一直到南岭，包括今广西北部的三江、龙胜、兴安、恭城、贺州，广东北部的连山、阳山、乐昌、南雄、连平、和平、蕉岭一线，大部分地区与西汉长沙国交界；东部边界一直到今福建西部的永定、平和、漳浦，与闽越交界；南部边界一直到今越南中部的长山山脉以东及大岭一线以北的地区；西部边界到达今广西百色、德保、巴马、东兰、河池、环江一带，与夜郎、毋敛、句町等国交界。南越国的领土包括了今广东、广西两省区的大部分地区（今广东、广西两省区的陆地面积约为41万平方公里），福建、湖南、贵州、云南的一小部分地区和越南的北部。

公元前202年，经过多年征战，刘邦建立了大汉政权，并迅速平定了项羽残余势力和其他军事势力。自陈胜、吴广大泽乡起义以来，中原战火纷飞，兵戈扰攘，士卒疲敝，民心思定，西汉政权初建，忙于巩固统治，因而没有立即对南越割据政权采取军事行动。

在南越国初建的数年内，汉越相安无事。赵佗趁机整顿内政。

如何对南越国的广大地域实行有效控制和实际统治，这是摆在赵佗面前的关键问题。

赵佗率军由中原而来，所建南越国自然仿照中原政体。

在政治上，南越国先是仿效秦朝实行旨在加强中央集权的郡县制，后来仿效汉朝郡县和封国并行的制度。秦朝和汉朝对南越国的政权组织形式都有很大影响，在某种意义上可以说，南越国政权组织形式的变迁在一定程度上反映了汉承秦制并有所损益的变化状况。

南越国是在秦朝南海、桂林、象三郡基础上建立起来的国家。赵佗立国之后，沿袭了秦朝的郡县制。在郡的设置上，赵佗保留了南海郡和桂林郡，并把象郡拆分为交趾郡和九真郡。南海郡大体包括了今广东的大部分区域，秦时设有番禺、龙川、博罗、揭阳四县，赵佗又在此基础上增设浈阳、含洭两县，其中番禺县是南海郡的郡治，位于今广州市内。桂林郡包括了今广西的大部分区域，下设的县可考者有布山、四会两县，其中布山县是桂林郡的郡治，位于今广西贵港境内。交趾、九真二郡包括了今越南中北部地区，下设的县可考者有象林县。

汉朝初建时君臣关于政权组织形式有所争论，统治者认为，秦朝之所以速兴骤亡是没有分封宗室诸侯，外无勤王之兵所致，因而实行郡县与封国并行的制度。南越国也借鉴这一做法，在郡县制度之外，同时以独立王国的姿态分封了一些王侯，文献记载的有苍梧王、西于王、高昌侯等。

秦汉郡县以下的基层组织有乡、亭等基层单位，十里一亭，十亭一乡，乡有三老，有秩、啬夫、游徼等。南越国仿照汉朝的基层制度，以加强对基层社会的控制力度。

南越国还实行了一整套自成体系的中央官制和地方官制，确保皇帝对群臣和中央对地方的有效控制和实际统治。来自中原的先进政治统治制度对赵佗建立南越政权和治理南越之地都发挥了重要的作用。

南越国的中央官制和地方官制是一个庞大的系统。在中央官制中，包括有集军政大权于一身的丞相、丞相的助手内史、指挥禁军的中尉、监督百官的御史、辅王的大傅等，掌握着南越国内政外交的重臣，还包括有郎、中大夫、将、左将、校尉、食官、景巷令、私府、私官、乐府、泰官、居室、大厨、厨官、厨丞、掌御、少内等中下级文武百官。在地方官制中有假守、郡监、使者、县令、啬夫等。

除此之外，南越国还实行与中原王朝类似的户籍制度、纪年制度、文书制度、度量衡制度、后宫制度、预立太子制度，等等。

在户籍制度上，南越国在境内（包括交趾、九真二郡）实行较为严密的编户制，使政府能掌握村社人口及耕地状况。

在纪年上，南越国起初有自己的纪年方式，后来虽采用汉朝皇帝年号纪年，但在南越国内也未完全放弃本国纪年。

由于南越国的创立者和多数官员均来自中原，普遍使用汉字，而百越土著居民虽有语言，却未演化出成形文字，多停留在刻符记事的发展阶段，因而，南越国规定，以汉字为官方文字，秦汉隶书是使用较多的字体。南越国文书制度仿照汉朝，国书、信笺、记录、奏令等皆以汉字为准，还设有专门的负责起草诏令、看守档案的官吏。

南越国除了从中原迁移过来的数十万汉人使用古汉语外，本地的南越、西瓯、骆越等土著居民大部分使用古越语。为了交流方便，南越国规定汉语为官方语言，并在国内推广古汉语。

南越国的度量衡制度采用秦始皇统一之后的度量衡制度。

按照汉朝后宫制度，唯有皇帝的母亲才被称为太后，诸侯王的母亲称为太夫人。南越国后来虽名义上臣服汉朝，但在国中行皇帝职权，南越王的母亲称太后，与汉朝一样，大概是赵佗、赵眜一度称帝的缘故。

汉朝皇帝的正妻称皇后，诸侯王的正妻称王后，在这一点上，南越国仿照汉朝诸侯国之例，南越王的正妻称王后。太后和王后是南越国后宫的主宰。

与中原王朝一样，南越国的王位继承制度是嫡长子世袭制。当南越王的嫡长子不能继位时，则有嫡长孙继位。南越国第二位君王赵眛便是以赵佗嫡长孙的身份继承王位的。父死子继，兄终弟及，与中原并无很大区别。嫡庶之别，长幼之分是很严格的，一旦处理失当就会引起大乱。南越国最后两位南越王赵兴和赵建德时期的纷纷扰扰便起因于继位问题。通常应当继承王位的王子应先被立为太子，以示储君之尊。

在军事上，南越国也采用与中原王朝相似的军事组织形式。

南越国的军队仍以秦平百越时的大军为核心，并广泛吸收来自中原的移民和南越土著加入。南越国的军事官职有将军、左将军和校尉等；军队的总人数在五十万左右，号称“带甲百万有余”；兵种包括步兵、舟兵、骑兵等。

在南越国墓葬出土的兵器中，主要分为青铜兵器和铁兵器，其中青铜兵器又占据绝大多数，这反映了当时南越国铁器的稀缺。当时，南越国的士卒主要配备的武器为青铜制的短剑、矛、镞、弓矢和一些较为原始的竹具、木具等；将官则多使用铁剑或铁矛。

南越国的政治体制虽然对秦汉政治体制有许多因循和仿效，但也有其特殊性，以适应百越之地的政治局势和社会环境。

秦汉在郡县之下还设置乡、亭等基层组织，十亭一乡，乡有三老，有秩、啬夫等，对基层的控制也很严密；但南越国对郡县之下的机构设置粗疏，对基层的控制也难以做到严密。

南越国与汉朝分封的其他诸侯国不同，受汉朝分封的诸侯国是“内国”，很大程度上受汉朝领导，自立性较弱；而南越国是先立国后臣属汉朝，是“属国”，只在名义上受汉朝领导，自立性很强。汉朝分封的诸侯国内主要官吏由朝廷派遣，行辅助和监视职责，诸侯国大事由朝廷处置；而南越国官吏皆由南越王任命，南越国事皆由南越王处置。

总体来说，南越国政权组织形式比秦汉松散，控制力较弱。为巩固政权，赵佗很注重改善与汉朝、闽越、西南夷等政权的关系。

古人云：燕赵大地自古多慷慨悲歌之士。取百越，镇岭南，开疆土，励耕织，置守吏，通闽吴，抚西南夷，被毛泽东誉为“南下干部第一人”的赵佗算得上是这个伟大时代的风流人物吧。

四、赵佗归汉：陆贾首次使越

赵佗接受了刘邦封赐的印绶，表示愿意臣服汉朝。自此，南越国成为汉朝的一个藩属国。此后，南越国和汉朝互派使者，通关互市，两地百姓深得和平互市之利。

赵佗建国南越、自立为王势必会引起汉朝廷的反应，但因汉朝初建，无意于刀兵相向，只试图以和平外交手段解决问题。

公元前196年，汉高祖刘邦派遣陆贾出使南越国，游说赵佗归汉。

陆贾（约公元前240年—前170年），楚人，汉初著名政治家、外交家、思想家、文学家，自幼饱读诗书，尤其擅长推理辩论，口才极佳，有先秦纵横家遗风。陆贾早年随刘邦平定天下，深谋远虑，常被派遣出使各路诸侯，指点江山，挥斥方遒，纵横驰骋，动之以情，晓之以理，为刘邦联合诸侯剪灭群雄立下汗马功劳。

《史记·郦生陆贾列传》记载了陆贾劝说汉高祖刘邦的故事。刘邦以草野之人承继大统，自身文化素养低下，且素来轻视儒生，崇尚武力，不通诗书礼乐。陆贾时不时在皇帝面前激情演说，盛赞《诗》、《书》之妙。刘邦不厌其烦，痛骂道：“你老子在马上得天下，哪用得着《诗》、《书》之类？”陆贾耐心地劝说：“在马上得到天下，难道可以在马上治理天下吗？况且商汤、周武王用武力夺取天下而后用仁义治理天下，逆取顺守、文武并用才是江山永固、社稷长久的不二法门啊。倘若秦国吞并天下之后施行仁义，与人休息，效法古之圣贤明君，陛下如何还能获得天下呢？”刘邦一听很有道理，面露愧色，对陆贾说：“请先生为我总结秦朝失去天下而我得到天下的原因，以及古代国家成败盛衰的缘由吧。”于是，陆贾大略地记述国家存亡兴废的故事及原因，汇集成《新语》一书呈奏皇帝，左右莫不交口称赞。

刘邦晚年在给太子的诏书中说：“我遭逢乱世，正赶上暴秦焚诗书、禁学校，认为读书百害而无一益。可是自执掌天下以来，经陆贾大夫劝说而广泛阅读，才体会到读书的好处来，回望过去的所作所为，汗颜之至呀。”可见，陆贾劝说刘邦重诗书、尊儒生是卓有成效的。

结合汉初社会环境，陆贾主张以黄老无为而治实现天下大治的目的，他曾说：“上古之世，英明领袖虞舜治理天下时，弹五弦之琴，歌《南风》之诗，超然物外，并不把自己当成君王看待，也从不自作聪明随意干涉百姓的事务，但天下太平大治。明智的君王治理天下，平日悠然自得，似乎没有任何命令要发布，衙门里的官吏貌似摆设，各项法令制度形同虚设，市井间好像没有值得官府操心的人民，万事无忧，一切顺其自然。这才是天下大治的局面呀。”这种无为而治的治国理念被称为“陆贾主义”，成为汉初的国家哲学。

陆贾的无为而治思想比先秦老庄自然无为思想更加积极入世。虽都鼓吹无为而治，但由于所处时代不同，阶级出身各异，追求和向往的前景也迥然有别。老庄抒发的是没落奴隶主阶级恋旧的伤感，陆贾的呼声更多反映了久经战乱的汉初时期广大人民的意愿，是汉初政治思想家企图重建被秦末农民战争破坏了的封建秩序的表现。

陆贾俨然成为汉朝治国方略的发言人。

此番商讨平越方略，君臣一致主张和平解决。

《史记·郦生陆贾列传》以浓重笔墨记载了陆贾使越的情景。

陆贾始到赵佗宫中，赵佗故意怠慢他，既不列队迎接，又不奉茶让座，想借此杀一杀这位“名嘴”的威风。陆贾径自进屋，只见赵佗身着葛衣，梳着锥形发髻，岔开两腿斜坐席上，口中自称“蛮夷大长老”。陆贾见状便问：“为何着越人装扮？”赵佗无意归汉，便故意傲慢地说：“久居越地，已经忘记中原习俗。”陆贾接起话茬说：“您本是中原人，祖先坟茔和父母兄弟均在老家真定县。现在您却违背天伦，毁弃冠带之制，妄图以地狭粮少兵寡民弱之越地与大汉抗衡，祸端很快就要上身了。况且暴秦败坏人心致使天下豪杰并起，唯独汉王率先入关，占据咸阳。项羽背叛楚怀王盟约，自立为西楚霸王，十八路诸侯都得听其调遣，可以说是权势熏天、不可一世了。然而，汉王崛起于巴蜀荒蛮之地，攻伐诸侯，横扫天下，诛除项羽。仅用五年时间，天下太平，海内思定，实在是天命所归而非仅仅靠人的力量就能做到。大汉皇帝听说您不出兵诛除暴逆，反而在南越自立为王，打算挥师南下来诛杀您，但是皇帝仁慈，不忍天下百姓陷入兵乱，因而就暂且搁置了攻伐南越的计划，委派我授予您南越王印玺，与南越剖符相约，互通使节。您最好在城郊迎接，向汉朝俯首称臣，上顺天恩，下遂民愿，如此您才能在南越这弹丸之地立足称雄呀。否则，汉朝将发掘您家祖坟，焚烧先人冢，夷灭您的宗族亲属，再派遣一员偏将率领威武大军兵临城下，诛杀大王，那是易如反掌呀。”

陆贾不愧是“汉初第一辩士”，这番恩威并用、绵里藏针的话句句刺入赵佗的内心。赵佗腾地站起，俯首拜谢陆贾，说：“我在蛮夷之地生活久了，失了中原礼数，万望见谅！”陆贾端坐如故，默不作声。赵佗继续说：“我与萧何、曹参、韩信相比，谁更贤明？”陆贾回答：“您貌似更贤明一些吧。”赵佗继续问：“那我与汉朝皇帝相比，谁更贤明？”陆贾起身回答：“皇帝本野草布衣，为了反抗秦朝苛暴之政才起兵于丰沛，推翻暴秦，诛杀项羽，为天下百姓兴利除害，承继三皇五帝之宏伟大业，重建统一国家。中原人数以万计，方圆万里，居住在膏腴之地，万物殷富，政令一统，这是自盘古开天辟地以来未有之盛况啊。而您不过拥有数十万子民，且多为蛮夷，山高水深，交通不便，物产微薄，不过就相当于汉朝的一个郡罢了，南越如何能与强汉相比呢？您又如何能与汉朝天子相提并论呢？”赵佗似有不服，大笑道：“我没在中原，所以在此称王。倘若我在中原发展，哪里会把汉朝放在眼中呢？”

北向称臣？他着实心有不甘，想我豪杰之士怎肯屈居他人之下！面对中原王朝陈兵列阵，他又无计可施。为了国祚绵长，黎民安居，他妥协了。

赵佗非常敬重陆贾，便留他在南越国生活数月之久，期间他们结下了深厚的友情。某日，赵佗亲临陆贾馆舍，说：“在越地这么久了，没有遇到值得推心置腹的，直到您的到来，我才有幸听到您这些与众不同的真知灼见。”于是，赵佗赠送给陆贾一个袋装包裹，价值千金，还有不少其他礼品，都是价值连城。陆贾欣然接受，并代表大汉皇帝册封赵佗为大汉朝的南越王，诏令其按照约定向大汉俯首称臣。赵佗接受了刘邦封赐的印绶，表示愿意臣服汉朝。自此，南越国成为汉朝的一个藩属国。此后，南越国和汉朝互派使者，通关互市，两地百姓深得和平互市之利。

五、赵佗称帝：陆贾再度使越

后人用“半壁江山一纸书”来形容汉文帝和赵佗君臣之间用书信往来的形式维护国家统一，确保汉朝半壁江山和平安定。他们的传奇故事成为中国历史上一段传颂万世的佳话。

天有不测风云，人有旦夕祸福。公元前195年，主张对南越国采取和平战略的高祖刘邦驾崩。惠帝刘盈和其后被立的少帝刘恭年少暗弱，虽登临大位却难以统驭百官、君临天下，军政实权由其母亲吕太后掌控。吕后一向主张对越采取强硬措施，汉越交恶已成不可避免之势。

果然好景不长，吕后临朝，汉越交恶，赵佗要孤注一掷，自立为帝，找回丢失的尊严。

《史记·南越列传》记载了陆贾第二次出使南越国的前因后果。

约公元前183年，吕后批准了有关部门要求禁止在汉越边境贸易的奏请，尤其禁绝南越国从汉朝购买铁器。铁器在南越国属于稀缺物品，对南越国发展至关重要，禁绝铁器贸易对南越国将造成巨大创伤。在秦平南越前，岭南地区尚处于原始社会末期，生产工具多是石器、木器，发展程度较高的地区偶有青铜器，农业生产与广泛使用铁器的中原地区不可同日而语。南越国铁矿资源匮乏，冶铁规模和技术都十分有限，铁器和冶铁原料主要依靠从中原引进或者利用废旧铁器进行锻造加工。汉越通关互市本是一件双赢的事情，南越国从中原获得铁器、青铜器和牲畜等重要生产资料，还积极引进中原先进耕作技术和手工工艺，南越国没有自己铸造货币，主要流通秦汉时期的“半两钱”。汉朝则从南越国获得玳瑁、犀牛角、珊瑚、白璧、珠玑、鸟兽、荔枝等珍稀土特产和象牙、银盒、香料等经南越国来自东南亚和南亚诸国的舶来品。

封关闭市是汉朝对南越国实行的经济制裁，试图孤立南越国，隔绝它与中原的经济文化交流。赵佗显然对此十分不满，便派出了内史藩、中尉高、御史平三位南越国重臣前往汉朝交涉，请求吕后改变政令，但皆被扣留不能返回南越国。不仅如此，吕后还派人诛杀了赵佗老家真定县的亲属，残酷迫害其宗族，还铲平了其“先人冢”。赵佗自然是愤恨不已。

汉越通关互市之地多设在南越国与汉朝“内属”长沙国边境线上。南越国与长沙国一面进行贸易，一面部署重兵，相互提防。赵佗认为：“高帝立我为南越王，双方互通使者和物资，如今高后听信谗言，把越人视为异类，断绝我们所需要的物资，这一定是长沙王的主张，他想依靠中原的汉朝，吞并南越，兼作南越王。”

赵佗寻思吕后很可能通过长沙国吞并南越国，于是宣布南越国与汉朝脱离臣属关系，登基称帝，自号“南越武帝”，并迅即发兵攻打长沙国，一鼓作气势如虎，连续攻克边境数县。长沙国抵敌不住，向汉朝求援。

公元前181年，吕后下令褫夺赵佗的南越王封号，派遣隆虑侯周灶将军率汉军攻伐南越国，双方正式进入交战状态。中原士卒难以适应岭南炎热潮湿的气候，军中瘟疫蔓延，大军不能逾越南岭，南越军队也无力驱逐汉军，两军在南岭一线对峙达一年之久。

公元前 179 年，吕后病逝，汉廷扰攘，无暇南顾，征越大军停止了进攻。

赵佗见状，号令全军追击。

金戈铁马，铠甲华胄，英雄登高一呼，百越子弟云集响应，霎时间，旌旗猎猎，矛钺森森，气吞山河。

南越国获胜，军威大振。赵佗得以扬威边境，震慑周边地区。后来赵佗用武力威胁和财物赠送的手段使闽越、夜郎、同师纷纷归属南越国。至此，南越国势力影响范围扩展至巅峰，疆域“东西万余里”。赵佗以皇帝身份发号施令，册封周边地区诸王，与汉朝成为外交姿态平等的政权。

吕后死后，在陆贾的劝说下，文臣首领丞相陈平和武将首领太尉周勃合力铲除吕氏党羽，迎立刘邦的第四个儿子代王刘恒即位，是为西汉历史乃至中国历史上名声极好的汉文帝。汉越关系进入一个新的历史时期。

赵佗自忖无力抗拒强汉，便主动向汉朝示好。他向驻扎在长沙国的隆虑侯周灶送去求和信，阐明兴兵称帝实属被吕后逼迫的无奈之举，请求汉朝停止迫害真定老家的亲人，撤出驻守长沙国的汉军，并建议以南岭为两国边界，改变两国犬牙交错的边境状况。

文帝刘恒刚刚承继大统便派出使者向诸侯和四方君长宣扬他的圣明美德，表示愿意与各方修好。当皇帝读到赵佗书的信时，他认为这是改善双边关系的良好契机，便一改吕后对南越国的政策，派人重修了赵佗的“先人冢”，设置守邑，岁时祭祀，并以优厚条件安置其亲属，赏赐给赵佗堂兄弟官职和财物，还撤走了部分驻守长沙国的汉军。

看到汉朝如此有诚意，南越国军队也逐步从边境撤离。赵佗久闻文帝仁爱，也无心恋战，打算向汉朝伸出橄榄枝。

汉廷为了彰显和谈诚意，打算选派一位德才兼备者担纲此任。文帝令陈平、周勃等群臣推荐可以出使南越国的人选。在诛诸吕中建立大功的丞相陈平建议仍以与赵佗有故交的陆贾领衔出使。于是，文帝就命陆贾再度出使南越国，要求他相机责备赵佗自立为帝，令其去除帝号，臣服汉朝。

不料，陆贾却推辞说自己垂垂老暮，难担此任。其实，陆贾不是不肯去，而是觉得汉朝对不起南越百姓，愧对昔日至交赵佗。毕竟，赵佗称帝是吕后背约导致的。赵佗家的“先人冢”和亲属都受到不公正待遇，这给这位深明大义的英雄造成了心理创伤。况且，在平定诸吕之乱时，赵佗率领的南越军分散了吕后的视线和精力。文帝是这场战争最大的赢家，而赵佗却无故受伤，文帝对这位岭南英豪也充满了愧疚和同情。陆贾请求文帝写一封情真意切的书信，由他带给赵佗，他才肯领命。文帝采纳了陆贾的建议。

公元前 179 年，已入暮年的陆贾再度出使南越国。

陆贾刚到南越国便训斥赵佗妄自称帝，目无天子。赵佗一看陆贾气势汹汹，十分恐惧，忙俯首向其致歉，解释道：“蛮夷大长老夫臣佗，从前吕后违背高祖之约，封关闭市，隔绝南越，害我宗族，掘我祖坟。我怀疑是长沙王进谗言所致，因此义愤填膺，率军侵犯长沙国边境。”

陆贾听赵佗致歉颇有诚意，且同情他当时的处境，便将文帝旨意告知，并取出文帝亲笔书信交予赵佗。《汉书·南粤传》记载了文帝这封言辞恳切而绵里藏针的《汉文帝赐南越王书》：

我虽为天子，可与您相比，我是晚辈。想您驰骋疆场、扬威南越之时，我还不过是一个不谙世事的懵懂少年。前辈您辛苦了。

我是高祖皇帝的庶子，本来不像嫡子那样具有承继大统的资格。我被封为北守藩篱的代王。代地路艰道险、蒙昧闭塞，未曾修书与您。高祖归天，孝惠皇帝刘盈登基为帝，见军政大权由吕后把持，只好称病不理朝政。吕后得以在汉越边境制造纷端，与您为敌，实在与我毫不相干。诸吕违背祖制，破坏嫡庶尊卑之序，妄图将其他血脉后裔立为惠帝储位，继承刘氏香火，这显然上违天意，下背民心，因而是不合法统的。幸亏仰仗祖宗的庇佑和满朝文武的拥戴，最终平息了诸吕之乱。我本无意于皇位，但朝野上下一致拥戴，我实在推脱不掉，就勉为其难了。

听说您曾写信给隆虑侯周灶将军，要求厚待您的北方亲人，罢黜镇守长沙国的两位将军。我看在您的面子上罢免了博阳侯，同时派遣使者到真定照顾您的亲人，还将您家祖坟修葺一新，设置了专门守墓的官吏，定期祭祀。

前些日子，我听说您陈兵边境，袭扰我大汉城池百姓。那个时候，国无宁日，百姓流离失所，长沙国深受其害，南郡情势尤为严重。即便您占领长沙国，那就能得到什么便宜了吗？兵戈扰攘，受苦受难的还是汉越两国百姓和两军将士。任由战火蔓延，肯定会拼杀掉更多的良将士卒，您于心何忍？那种使妻子失去丈夫，使儿女失去父亲，使父母失去儿子的悲惨事情，我实在是不忍心做呀。况且您能从这场战争中得到的比您失去的要少得多。

看到您这样倒行逆施，我本来决计发兵南征，安定南疆。可群臣对我说，先皇再世时曾与您定有和约，将岭南之地封赐与您，不可轻举妄动。我自然不能擅自改动先帝的旨意。岭南素来贫瘠，地狭人稀，物产微薄，我大汉沃野千里，人杰地灵，物产富饶。您那些土地和财富相对于我大汉国库来说实在微不足道。因而，我想岭南之地还是由您来治理吧。

尽管如此，您僭夺帝号，天下两帝并立，实在不妥当呀。天无二日，民无二主。若两虎相争则必有一伤。有争议而不谦让，这不是仁义之士应该有的啊。我愿意与您捐弃前嫌，休战罢兵，自今而起，汉越两国依然像先帝时那样通关互市，互派使节。

因此之故，我派遣您的老朋友陆贾先生传达汉廷旨意。您就接受大汉封赐的印绶，臣服我大汉吧，万万不可再发兵攻伐我国了。我让陆贾携带一些封赏之物赐予您，供您享用。

文帝信中情真意切、刚柔相济、恩威并施，一封书信抵得上十万天兵。首先，文帝肯定了赵佗的资历和功业：您是我的前辈，是与我父亲刘邦一同起兵建功的英雄豪杰。随后，解释了吕后时期政策不当导致汉越交恶，与文帝并没有干系。然后，表示理解赵佗发兵是受吕后逼迫，其实并不是真心要起兵伐汉，还获悉赵佗有求和罢兵之意。紧接着，顺水推舟，已经按赵佗要求厚待其宗族并修缮了其先人冢，暗示赵佗的祖坟和宗族都在汉朝手中，不可轻举妄动。最关键的是，文帝阐明利害关系，权衡战与和的利弊得失，让赵佗意识到若继续兴兵势必引来祸端，且南越国实在无力与强大的汉朝相抗衡。最后，文帝派遣陆贾老前辈前往招抚，送去封赏之物，只要赵佗去除帝号，向汉称臣，岭南之地仍归赵佗管辖，可以算是给足了赵佗面子。文帝此信有理有据有节，一场潜在的战争威胁就这样化解了。

赵佗读完书信，深感文帝谦恭有礼，对和战利弊分析至为透彻，对他佩服得五体投地。

于是，赵佗向陆贾扣头谢罪，表示愿意削去帝号，永远做汉朝的藩属臣子，定期向天子朝贡，为汉朝坚守南大门。他还向全国宣布："我听说两个英雄豪杰是不能并存的，两个贤哲之人也不能共同生活在同一世界。汉朝皇帝是贤明的天子，从今以后，我除去帝号，不再乘坐唯有皇帝才能乘坐的车辇。"

清末爱国志士黄遵宪曾作《和钟西耘庶常德祥津门感怀诗》，赞颂文帝赐书赵佗安定岭南的丰功伟绩：

雷动星驰人贡车，舌人环列护文闾。

但占风雨都来享，偶断苞茅便问诸。

宅北曾分羲仲命，绥南远赐赵佗书。

盟津八百争朝会，犹记徵祥纪白鱼。

作为对文帝书信的热忱回应，赵佗也修书一封经陆贾转呈文帝。赵佗在书信中说：

蛮夷之邦长老头目、老朽不堪的赵佗叩拜大汉皇帝陛下：我本是秦朝南越官吏，有幸受到高祖皇帝厚爱，得以拥有南越印玺，管理南越之地。孝惠皇帝即位后，出于高义不忍与敝国断绝关系，对我恩赏甚多。我诚惶诚恐，以化外之臣身份按时向汉廷朝贡，朝夕未敢废绝，从未忘记大汉恩德，行不臣之事。

然而，自从吕后临朝用事以来，亲佞臣，听信谗言，竟敢违背高祖之约对我南越国行隔绝疏离之能事。封关闭市，不肯给予我国金铁之具，即便是牛马也只给雄性不给雌性。我们深处穷乡僻壤，铁器得不到补充，牛羊得不到繁殖，田地实在难以耕种，百姓衣食无着，故而未能按时向大汉纳贡祭祀。为了和平解决纠纷，我派遣了内史藩、中尉高、御史平三位重臣前往汉廷交涉，不仅未明其果，反遭吕后扣留。我听闻远在故乡真定的祖先坟墓被掘，兄弟宗族被杀，出于义愤，才与属官商讨对策。属官们都说："既然不能替朝廷振兴汉室，不如自立化外之国独善其身。"无奈之下，我就僭越帝号，只在国中称帝，并不敢称霸天下。吕后闻之大怒，废除南越国的大汉属籍，自此两国处于敌对态势，不再互通使节，难以直接沟通。

我私下怀疑吕后如此仇视南越国是受到长沙王的诋毁蒙蔽，十分痛恨长沙王，就率军攻打长沙国。

况且南方乃低湿之地，蛮夷交错相生。西面的西瓯国和骆越这样的弹丸之地，百姓多半羸弱不堪，尚且可以称王；东面的闽越国不过区区几千人，其君长竟敢自立为王；还有北面的长沙国，百姓多半是蛮夷，竟然也称王。我南越国疆域辽远，带甲者百万之众，攻破城池无数，却与那些弹丸小国处在同一个层次，心里实在委屈不堪。我之所以还是北向称臣，是因为不愿意背叛与高祖之约啊。我狂妄地窃取皇帝尊号，聊以自慰，怎敢将此等丑事禀告天子呢？

老朽在南越之地已经生活四十多年，现在孙子都很大了，但是我夙兴夜寐、寝食难安，实在无心欣赏奢靡曼妙的舞蹈和悦耳动听的音乐，这是因为不能为大汉效力的缘故呀。

现在幸得陛下哀怜，恢复我过去的称号，从此汉越通关互市、互遣使节，真是万民之福，社稷之幸呀。我誓死效忠汉朝，决意去掉帝号，向汉称臣，永世为汉朝藩属。

我特派使者送给皇帝陛下白璧一双，翠鸟千只，犀角十只，紫贝五百，桂蠹一件，生翠四十双，孔雀二双，请陛下笑纳。

赵佗致书文帝显然是明智之举，悬崖勒马，否则南越国将受到严重威胁。其书言辞凄切，情理交融，令人悲从中来又扼腕而叹，最终使怒不可遏而又深负愧意的汉朝君臣罢战休兵。恰如清人屈大均在《广东新语》所说：

赵佗本来是赵国贵胄，在岭南建功立业，自立为王，放弃中原冠带之制，甘心委身于蛮夷，与半人半兽的越人为伍，他的内心岂是想隔绝于中原之外呢？实在是自度不是强大的汉朝的对手，故而以鄙俗粗陋示弱，平息汉朝兼并南越的焰火。后来陆贾使越时，赵佗自我贬抑说僭越帝号只是聊以自慰，哪里敢让天下人知晓呀。其理屈词穷，居然找这么一个滑稽之至的理由搪塞责难，实际上只是怕汉朝攻伐才假装如此的。

一切如约，汉越边境恢复了往昔的宁静，汉越边关贸易逐渐繁荣起来。

后来，淮南王刘长北结匈奴，南连南越，意欲为乱。南越国表面敷衍，实际并未参与，刘长作乱并未掀起实质性风浪，这与陆贾使越缔造的汉越和平关系是分不开的。

后人用“半壁江山一纸书”来形容汉文帝和赵佗君臣之间用书信往来的形式维护国家统一，确保汉朝半壁江山和平安定。他们的传奇故事成为中国历史上一段传颂万世的佳话。

陆贾以垂暮之年再度使越，化干戈为玉帛，有效沟通了文帝和赵佗，维护了南越持久和平，可谓老当益壮啊。

后代文人对陆贾的卓越功勋着墨甚浓，评价甚高。唐代诗人徐夤咏歌怀古，追忆陆贾游越的壮举：

罩罩嘉鱼忆此方，送君前浦恨难量。
火山远照苍梧郡，铜柱高标碧海乡。
陆贾几时来越岛，三闾何日濯沧浪。
钟仪冠带归心阻，蝴蝶飞园万草芳。

陆贾再立大功，赵佗重新对汉朝称臣，每年春秋两季派遣使者到长安朝拜汉朝皇帝并纳贡祭祀，像诸侯王一样接受汉朝皇帝的诏令。

赵佗虽名义上臣汉，但在南越国内，仍然使用皇帝名号，只在遣使奉表朝拜汉君时才称臣。南越国的军政大权和人事任免都掌握在南越王手中，汉朝始终难以染指。终南越立国 93 年，南越国一直是汉朝的“外藩之国”而非“内属之国”，汉朝只是在南越国废除了一些酷刑和法律条文，一直未能对南越国实行有效控制。

公元前 157 年，汉文帝驾崩，景帝刘启即位，汉越关系依然如故，南越国未参与吴王刘濞主导的“七国之乱”。直到汉武帝建元四年（公元前 137 年）赵佗去世，汉越之间再未刀兵相向。

第五章
和辑百越：赵佗对岭南的开发

赵佗始至百越之地，深感越人力量之大，认为汉人若想立足，必须加强与越人的联系。他任龙川县令和南海尉时就积极推行“和辑百越”的政策，在任龙川县令期间，主张汉越一体，充分尊重越人的风俗习惯，并且在一定程度上要求士卒和移居越地的中原百姓实现适度的“越化”，深受汉越人民爱戴。他还上书始皇帝要求从中原迁移五十万居民到百越之地，以加强边疆开发。岭南得以实现跨越式发展，与中原发达地区的差距缩小。

一、汉越一体：以越俗笼络越人

为起到表率作用，赵佗带头尊重和顺从越人风俗习惯，例如他公开宣称自己是“蛮夷大长老”，还脱掉汉人的正统官服，采用越人的服饰。当陆贾使越时，他身着葛衣，剪发结髻，岔开两腿坐在席上，完全一副越人打扮，口中自称“蛮夷大长老”，被陆贾痛斥抛弃“冠带之制”后还推说自己久居越地，顺应了越俗而淡忘了汉俗。这在某种意义上也说明了赵佗推行“和辑百越”、汉越一体政策的决心。

中华民族自古以来就是一个以华夏族（汉族的祖先）为主体的多民族共同体。相传在原始社会末期，黄河流域华山至夏水之间分布着许多原始部落，这一地区后来成为中华文明的主体部分，因而称作“华夏”。

古代华夏族也称“夏”、“诸夏”。《说文》中说:“夏，中国之人也。”此处所谓“中国”与今日“中国”的内涵不同，是相对于周边的夷狄蛮戎来说的，主要是指黄河流域尤其是中原地区。“诸夏”则是对华夏族生活地域和中原人的泛称。华夏族是古代居住于中原地区的汉民族祖先的自称，自汉朝起始称汉族。华夏族的始祖被认为是炎帝和黄帝，以传说中的祥龙为图腾，因而今日的中国人自称炎黄子孙和“龙的传人”。

“华夏”的内涵也包括与蛮夷不同的文明形态,《左传》中提到“礼仪之大谓之夏”，正是对中原文明与蛮夷习俗区别的准绳。

夏朝在上古时期为中央大国，“夏人”就是“中国人”，即生活于中原地区的百姓。文明程度较高的族群被称为“华”，文明程度较高的地区被称为“夏”。在长期的历史演化中，“华夏”就成了文明程度很高的泱泱大国的代称，也成了生生不息的中华民族的代称。

延至周代，凡遵守周礼者皆称华族、夏族，统称诸华、诸夏。孔颖达《春秋左传正义》说:“中国有礼仪之大,故称夏；有服章之美,谓之华。”意指华夏是礼仪之邦，尊礼守仪是华夏族的标志。

华夏族与周边民族的关系贯穿中国历史发展的始终，是中国历史由古至今延绵不绝的主线之一。

历朝历代，中原王朝依据不同历史环境对周边地区有不同的应对策略，也取得了迥然有别的历史效果。春秋时期齐桓公高举“尊王攘夷”大旗，树立华夏正统之威烈；战国时期赵武灵王“胡服骑射”，主动向胡人学习；秦朝时，蒙恬“却匈奴七百余里，胡人不敢南下而牧马，士不敢弯弓而报怨”；汉初对匈奴强攻受挫转而以“和亲”待之。赵佗建立的南越国位居百越深处，情况更加纷繁复杂，那么他是如何应对这一系列问题的呢?

早在第一次平越战争中，赵佗率领的东路军所向披靡，其克敌制胜的法宝就是知己知彼，彼此尊重。所谓知己知彼，就是秦军每到一地都要了解当地的山川险隘、气候环境、人文风俗，深入越人内部了解越人战斗姿态、兵力部署等状况。主将屠睢因滥杀无辜、粗心大意导致兵败退军、身死人手的客观现实更加促使赵佗深入地思考采取什么样的策略驾驭越人。在第二次平越战争中，赵佗继续发扬尊重越人的风格，并多次劝诫任嚣尊重越人习俗，不可滥杀无辜。

赵佗始至百越之地，深感越人力量之大，认为汉人若想立足，必须加强与越人的联系。他任龙川县令和南海尉时就积极推行“和辑百越”的政策，在任龙川县令期间，主张汉越一体，充分尊重越人的风俗习惯，并且在一定程度上要求士卒和移居越地的中原百姓实现适度的“越化”，深受人民的爱戴。他还上书始皇帝要求从中原迁移五十万居民到百越之地，以加强边疆开发。岭南得以实现跨越式发展，与中原发达地区的差距缩小。

赵佗是龙川县首任县令，也是龙川县治所的首定者。关于龙川县治所建置，至今仍流传着赵佗称土建置的传说。

越地始平，赵佗便接受任嚣任命迅即奔赴龙川上任。

首先，摆在他面前的问题是：龙川首次设县，治所当如何选择？

为了能更有效的管理和龙川百姓的安居乐业，他顶风冒雨，不顾寒暑，驾舟沿东江而上进行实地勘察。每到一地，他都要仔细察看山势水脉，了解乡土民情，渴了喝山泉，饿了就啃点干粮，可谓殚精竭虑、不遗余力。

功夫不负有心人。经过一段时间的艰辛考察，赵佗认为在一处依山傍水、地势坦阔、土壤肥沃、背山临水、扼关控险的风水宝地建置治所最为合适。

在进行充分论证后，他召集乡绅长老深入讨论。此时，大家纷纷建言献策，大多主张在各自家乡设置治所。一连数日，各地代表彼此攻讦，治所问题聚讼不已，争论不休，连续几日都没有定论。

谋在于众，断在于独。赵佗是一个足智多谋的人，深知如此争论下去不会有结果。为顾全大局，他在听完各位代表的陈述后，平静地说：“大家且莫争论，听我一言。三天之后，你们各自在自己家乡挖一斗土前来过秤。哪个地方的土最重，铁定在哪个地方建置龙川县治所。”大家一听，这也是个办法，就分头准备去了。

量土称重那天，各地的乡绅长老都带着一斗从家乡挖来的土前来过秤。不知是天意使然，还是人们刻意为之，赵佗看中的那块地附近的绅民领会到了赵佗“铁定”两字的含义，在土中掺杂了铁块。经过称重比对，该地的一斗土比其他地方的一斗土都重半斤。于是，赵佗当机立断，大声宣布：“经过量土称重，龙川县治所就定在这里。”这就是佗城的由来。

正是因为赵佗的智慧和谋略，平息了建置治所的纷争，团结了各地绅民，也开创了龙川县治所两千余年的历史。千百年过去了，佗城一直是福地，才子佳人荟萃，喜事不断，历史证明了赵佗的英明决断。

为了在百越之地站稳脚跟，赵佗还非常推崇节烈之士，无论汉人还是越人，只要行为值得尊敬，他都大张旗鼓地宣传，树立道德楷模，维护越地稳定秩序。

佗城“七月十四”节的由来就反映了赵佗在越地旌表节烈，提倡仁孝的行为。

古邑佗城附近几个乡村，千百年来流传着一个奇特的节日。每年的农历七月十四日是附近乡民的喜庆日子，家家户户杀鸡宰牛、酿制豆腐，其隆重程度仅次于春节。即便家庭不和、村落不睦，这一天也要化干戈为玉帛。尤其是夫妻平时有矛盾，这一日也要相敬如宾，双双去娘家省亲，民间俗称：“七月十四，回心转意。”七月十五日，乡民们便要探亲访友，路上行人川流不息，络绎不绝。这个奇特的“七月十四”节的由来也与赵佗有关。

赵佗任龙川县令时，佗城有一马姓女子的丈夫病故，撇下一儿一女，生活十分艰苦，马氏只好给大户人家做乳娘。某日，马氏因劳累和饥饿过度，眼前一片乌黑，瞬间一阵晕眩而跌倒在地，怀中正在哺乳的婴儿也坠地身亡。此时家中无人，马氏醒来后见怀中婴儿摔死，自知罪孽深重，本欲撞阶石而绝，却被人阻拦而自杀未遂。东家一纸状书将她告到县衙，此时赵佗外出，代理管事者不顾事情缘由便将马氏打入死牢。

马氏有女，年方二八，出落得亭亭玉立，尚未婚配，马氏小儿还在嗷嗷待哺之中。马氏女儿闻知母亲闯下大祸，终日哀愁不已，水食不进，日渐消瘦。某日，马氏女儿怀抱年幼的弟弟前往大牢探视母亲，娘儿三个相见抱头痛哭，道不尽生离死别。狱吏无不动容，虽知道内有隐情却无能为力，只等县令赵佗回来裁决。

马氏女儿深知母亲罪行难逃，夜来无眠，想到母亲守寡多年拉扯姐弟两人，个中苦难，常人难以体会。感念母亲养育之恩，再看看年幼无知的弟弟，往后一个孱弱女子如何支撑起一个支离破碎的家庭呢？母恩深似海，无以为报，思来想去，唯有替母抵命，以自己一死去换取母亲的生还，以全孝道。马氏女儿便取出一块白布，咬破手指写下一份血书，叙述案情原由和自己的心愿。只等县令赵佗回来，她便击鼓登堂，替母赎命。

几日后，赵佗归来。正要升堂议事，忽闻击鼓声急切凄厉，衙署外面人头攒动，不知发生何事，遂唤来衙役前往察看。不多会儿，一个小女子手捧血书跪在堂前，痛哭失声，苦苦哀求道："老母因劳累过度，过失伤人，罪有应得。但母爱如山，小女子愿意替母抵命，以全孝道。跪求青天大老爷成全！"话音未落，只见那小女子一头撞在石柱上，脑浆涂地，顿时香消玉殒。堂里堂外，众人呆若木鸡，不知烈女何以有此壮举。

县令赵佗拿过血书细看，一切尽在不言中。他仰天一声长叹，深为这个孝烈女子感动，遂下令释放马氏，厚葬马氏女，建孝悌牌坊，以示纪念，并定此日农历七月十四为纪念日，彰显孝悌之道，倡导尊老爱幼之美德。

清代龙川知县胡一鸿在重建南越王庙的碑记中盛赞"岭南之声名文物开于赵佗，而基于龙川"。此乃通达之论。赵佗在任龙川县令的六年间，大力推行"与越杂处"、"和辑百越"政策，大大缓解了汉人与越人的矛盾，为赵佗积淀了宝贵的治国经验。以至在赵佗称王建国后，依然推行汉越一体的治国方略。

继任南海郡尉和建立南越国后，赵佗更加积极主动地调和汉越矛盾，在全国范围内推行“和辑百越”政策，以越俗笼络越人。在与越人的深入交往中，赵佗深深意识到，一旦汉越关系处理不当，岭南将再无宁日，新建立的南越国也将很快崩溃。

越人的生活习性、社会风俗与汉人迥然有异，有些是汉人所不能接受的。如果汉人歧视越人的不同习俗，就容易挫伤越人的感情，势必引起越人的敌对情绪。为此，赵佗主张汉人务必尊重越人的风俗，甚至在一定程度上放弃中原“冠带之制”，而对越人的风俗采取接纳甚至模仿的态度，即“同其风俗”。

为起到表率作用，赵佗带头尊重和顺从越人风俗习惯，例如他公开宣称自己是“蛮夷大长老”，还脱掉汉族的正统官服，采用越人的服饰。当陆贾使越时，他身着葛衣，剪发结髻，岔开两腿坐在席上，完全一副越人打扮，口中自称“蛮夷大长老”，被陆贾痛斥抛弃“冠带之制”后还推说自己久居越地，顺应了越俗而淡忘了汉俗。这在某种意义上也说明了赵佗推行“和辑百越”、汉越一体政策的决心。

秦军的占领势必会侵犯到越人的切身利益，引起越人仇视是再自然不过的事情了。作为汉人的赵佗是在越人世居之地建国的。他和南越国的上层统治者大多是汉人，能否处理好汉人和越人的关系，是南越国政权要从政治上解决的首要问题。

南越国的法令规定百越之地土著居民与中原移居之民享有平等的社会地位，这是汉越一体的法律基础。赵佗效法秦始皇推行“行同伦”改革，就是要端正风俗，建立起统一的伦理道德和行为规范，要求各族人民都遵循统一的法度和习俗。

当时处于原始社会末期的越人好勇斗狠，仇杀成风。部落之间彼此互不统属，各自为政，保留着浓重的原始社会部族战争的残存形式。各部落间和部落内各族群间为了争夺生存资源而相互攻杀，死伤无数，极其不利于生产发展和社会稳定。

赵佗身居越境、统驭越人，非但没有借机脱离华夏文明，反而在与越人杂居中坚持以商鞅之法消弭私斗仇杀。赵佗颁布法令，严禁私斗仇杀，遇到不决之事，各部落不得擅自动武，务必交由地方官吏处理。他还颁布相关法令，惩治违规逾矩之恶行。消弭私斗仇杀的举措使得岭南三郡文明之风大兴，社会安定了许多，减少了很多流血杀伐，越人数量大大增加，为岭南开发打下了坚实的基础。赵佗所率中原士卒和迁居至此的中原百姓数量也持续增长，始终维持着强大的镇抚力量。

当时越人没有成形文字和统一语言，认识自然和改造自然的能力也很弱，对原始自然心存敬畏。岭南越人有着自己独特的文化体系和风俗习惯，延续着对鸟、蛇、蛙等动物的原始图腾崇拜。在日常生活中，他们断发文身、干栏而居、身体穿孔、凿齿漆牙等。其中，断发文身、凿齿漆牙是越人成年礼的标志。

关于“凿齿”的习俗，学界比较普遍的有数种说法，一是认为是青春期、成丁礼或结婚所需的一种仪式；二是认为它表示一种美的观念，具有装饰意义；三是认为这是为了表示一种崇信的行为或纪念性的行为。但不论哪种说法更能接近古人“凿齿”的深意，有一点不可忽略，即这种看似奇怪的习俗是古代岭南先民丰富多彩生活的一部分。

在装扮上，越人喜欢披头散发，终生不剪头发，但发型经常变动。在饮食上，他们喜欢吃蛇、蜥蜴、昆虫等各种让中原人难以接受的奇异动物。在居住上，古越人多为巢居和干栏之居。巢居是指在树上营建房屋居住，干栏是指利用多根柱子做支撑，把房屋凌空建在柱子上。这两种凌空建造的房子都是为了避免蛇虫走兽的侵扰和适应当地高温多雨的环境。

赵佗对这些风俗采取的态度是：良则从之，恶则禁之。其远见卓识从饮食习惯的渐变中就可以体现出来。越人鸟兽蛇虫无所不食。赵佗任龙川县令时就意识到，要有效控制越地、管理越人务必要首先融入越地民俗，包括中原人一向不齿的杂食风气。在赵佗力倡的“同其风俗”影响下，客居越地的中原人对蛇、虫、蜥蜴等令人毛骨悚然的动物从不敢起箸到逐渐接受，再后来连王宫中的屏风托座都做成越人抓蛇吃的形象。

南越国濒临海洋，境内河网密布，雨量充沛，因而很多越人水性很好，他们擅长利用船来进行渔猎，喜欢食用各种鱼类和贝类。

越地多水，越人为避免蛟龙侵害而多以舟为水上交通工具。当时越人使用舟船已经相当普遍，在重大节日，河流之中往往百舸竞渡，蔚为大观。在一些出土的铜鼓上还描绘有他们竞赛龙舟的场面。他们往往在船的首尾画上龙、凫等动物形象作为本族的图腾或保护神。这和越人文身以象征“龙子”的含义类似，都是为了求得水神的保护。

现在的“端午节”多被认为是纪念屈原而形成的节日。其实，屈原深处楚地，与百越之境近在咫尺，而流传至今的为纪念屈原而设立端午节很可能是以屈原代指越人。至于端午节的起源，著名学者闻一多曾指出其应是越人为祈求生命得到安全保障举行图腾祭的节日，而龙舟竞渡便是这种祭祀活动中的娱乐节目。近年来在岭南地区发现的铜鼓上，也发现了一些头戴羽冠的人物操架着刻画有纹饰的船的图像，这有可能就是古代越族龙舟竞渡习俗的记录。

婚丧嫁娶关涉老百姓生活的方方面面，是社会关系的晴雨表。一个民族与另一个民族通婚是调和民族关系，增进民族感情的重要方式。南越国对这一条颇为重视。赵佗多次上书请求中原移民至岭南，与越人杂居。大量无夫女子与士卒或越人结婚生子，成家立业，世居越地。赵佗还极力安抚越人，大力提倡汉越通婚，劝导士兵在当地养儿育女，促进汉越同化。他从王室做起，带头与越人通婚。越人吕嘉为南越丞相，家族中“男尽尚王女，女尽嫁王子弟宗室”，甚至还与远离番禺的苍梧王赵光联婚。第三代南越王赵婴齐便是娶越女为妻，并生有子赵建德，起初被封为高昌侯。这说明上层统治者中普遍实行汉越通婚。上行下效，南越国的上层统治者既然如此，中原和越地的普通百姓的联姻也十分普遍。南越国政权能平安立国九十余年，汉越通婚是重要原因之一。这个事实从一个侧面反映了当时汉越关系是比较融洽的。

在赵佗的首倡下，各级官吏、士卒和中原移民纷纷接受越人的风俗习惯。赵佗的亲民政策使汉、越各族人民彼此认同，其个人威望也得到很大提升。

赵佗虽然主张尊重越人的风俗，但并非一味迁就。对南越境内部分土著居民某些野蛮残酷的风俗，赵佗力倡移风易俗。

南越国统治地区主要在岭南，并不是百越所有地区。为了营造良好的外部环境，南越国统治者还十分注重与东部的闽越国与西部的西南夷部族的交往，尊重各民族的生活习俗，缓和人民之间的矛盾，这也赢得了周边部族的尊重。

二、南越开发："开发岭南第一功臣"

历史充分证明，赵佗缔造的南越国是岭南文明的奠基时期。他在南越国的建设和岭南地区的开发中发挥了十分积极的作用。赵佗在岭南的大开发使得尚处在原始社会末期的越人结束了分散的部落统治，一跃而直接跨入文明有序的封建社会，与中原的差距大大缩小，极大地推动了岭南地区的文明进程。在这个过程中，赵佗表现出了博大的胸怀和恢弘的气魄。在今日的广州南粤先贤馆内，赵佗位列第一，被称为"开发岭南第一功臣"，实至名归。

现代著名客家文化研究专家谭元亨先生认为："中原文化南下并推动其文明开发，粤东是最前沿的阵地之一，而最早产生文明发酵效应的，只能是龙川、博罗一线。"在任龙川县令的六年里，赵佗为民办了不少好事、实事，如掘井筑城，设衙修路，开垦山林；推广先进的生产力和农耕技术；传播先进的中原文化和文明，尊师重教，兴办学堂；改善越人居住条件；推广优良品种；屯垦戍边；等等。

的的确确，龙川是赵佗从军事人物转变为政治人物和治理郡县的实践地，赵佗在此积累了治理郡县的经验。不得不说，龙川是赵佗的“兴王之地”，也是他开发岭南的“试验田”，更是播种中原文明火种的“试验田”。在主政龙川的六年时间里，赵佗从一个骁勇善战的将领转变为一个日渐成熟的政治家，为以后建立南越国、开发岭南奠定了坚实有力的基础。

建国称王之后，赵佗更是把开发岭南、改善民生作为立国根基。

封建社会以农为本，土地是古代人民赖以生存的基础资源。南越国的统治者赵佗正是主要从改革土地制度，改善农业耕作方式，提高粮食产量着手的。

南越国崛起于秦汉之际，秦平百越之时，秦军不以钱帛买田，而是以武力强行圈地。赵佗建国之后及时调整了统治策略，不再强行圈地，而实行比较自由的土地买卖政策，形成了“富者有资可以买田，贵者有力可以占田”的土地占有格局。富贵之家拥有良田百顷，奴役大批农奴劳作，供给国家赋税和徭役。

由于当时人类改造自然的能力还很弱，个人离开部落难以独自生存，因而当时岭南大部分地区的土地制度还是原始公社公有制。中原先进土地制度难以一下子贯彻下去，以南越国王室土地所有制为中心形式的土地制度在一定程度适应并延续了这种原始社会公有制，允许无地或少地之民耕种王室的“公田”。这些耕作“公田”的人，无论汉族还是越族都必须承担一定义务，所谓“战则兵，散则农”正是他们的生活写照。各地人民开垦小块田地，法令规定开垦的荒地归开垦者经营，同样要向国家承担税收和徭役。这些就是南越国统治的土地制度，也是南越国政权的经济基础。

劳动工具是生产力发展水平的重要标志，而铁器和耕牛是南越国农业的重要生产资料。从罗泊湾一号墓出土的文物来看，秦平百越前，越人进行农业生产的劳动工具一般是石器、木器和少量简易的青铜器，与已经广泛使用铁制农具的中原地区相比大大落伍。秦平百越随军带去数量可观的铁器，经加工改造后成为铁农具。后来从中原陆陆续续迁移过去的数十万中原百姓携带大量铁制农具和牛马等牲畜。赵佗归汉以后，汉越通关互市，越人得以顺畅地通过边关集市引进铁制农具、肥料、耕牛、骡马等生产资料。

越人耕作方式也得到了切实改进。

古代岭南密林遍布，瘴疠袭人，自然条件极端恶劣。越人最先采用刀耕火种的原始方法开垦土地，后来进步到火耕水耨，但仍未脱离原始农业阶段。赵佗无疑是先进农业技术推广的发起者和组织者。他在岭南积极推广铁制农具和耕牛，使战国时期就已经传入岭南的水稻种植技术得以普及，改变以前“刀耕火种”、“火耕水耨”的粗放型耕作方式，代之以中原先进的农业生产技术。除了种植业外，他还大力发展林业、畜牧业、渔业等多种形式的农业生产方式。铁制农具和先进耕作技术的推广，大大提高了岭南农业的生产水平。

劳动力是生产力中最活跃、最富有灵魂的因素。在古代社会，劳动力数量多寡和素质优劣是衡量一个地区生产力发展水平乃至文明发展程度的重要标志。

千余年间，百越众多的族群支系多各自居处、生息和繁衍。由于历史上的各种原因，他们或聚或散，或迁徙或逃亡，人口的繁衍和聚合极不稳定。人口统计极为不易。

据《汉书·地理志》记载的西汉平帝元始二年入籍造册情况来看，交州七郡共有 215448 户，人口 1372290 人。可以推测，秦汉之际，包括闽越、东瓯、南越、西瓯、骆越、句町、滇越、山越、夷洲越人等百越之地人口不足一百五十万，人烟稀少且分布不均衡，其中太湖流域分布较为稠密，而滇越、南越、骆越、夷洲则密度极低。元始年间是西汉人口发展的鼎盛时期，但岭南七郡人口的总数并不可观，人口密度很小。其中交趾四郡每平方公里不足十人，九真郡三人，苍梧郡、南海郡、合浦郡都是两人上下，日南郡、郁林郡不足一人，有的地区如含涯、浈阳、曲江等山区则荒无人烟。

南海郡是南越国的统治中心，约有 19613 户人家，94253 人。考虑到隐瞒户籍、隶属或交叉存在于其他几郡中的南越人的人数也不在少数，兼之赵佗平南越前南越国的实力与闽越国不相上下，汉兵几路围剿数次方才告捷。因此，粗略估计南越国土著居民约三十万，加上中原士卒、百姓、刑徒、商贾等，人口总数在一百万左右。

秦汉时期，越人的身体素质较差，平均寿命不长。《史记·货殖列传》记载“江南卑湿，丈夫早夭。”越人身体羸弱、寿命短，除了湿热气候的因素外，还与复杂地形、险恶环境、生活水平、经济状况、劳动强度、医疗水平等因素直接相关。

越人数量少，素质又不高，改造自然的能力自然很弱，这些缺陷导致岭南地区生产力发展水平长期低下，社会经济文化发展水平极其落后。

要解决这些难题，关键在于增加劳动力数量，提升劳动者素质。

越地初开，地广人稀，唯有增加人口，发展生产力，才能稳定社会，巩固政权，移民实边便成为开疆拓土、加强统治的当务之急。

商周时期，中原人对越人人口增长的影响是微不足道的。春秋战国时期，越地除了一些著名的谋士、武士如范蠡、文种、计然、伍子胥、陈音及其他一些逃亡者外，其绝大部分人口都是百越之地的越人。秦汉时期，这种情况随着政治、军事、经济及商业贸易交往剧增等因素而发生了很大的变化。秦平南越战争和任嚣、赵佗主政岭南期间，秦军就地屯垦安置，又迁移数十万中原百姓、刑徒、赘婿、商贾深入越地定居。

中原人口的大量南迁，改变了百越原来较为单纯的血缘结构，使百越之地人口结构、民族结构和性别结构都发生了不小的变化。同时，中原人口的流入，也带来了先进的文化和生产技术，促进了百越之地经济的开发，对团结融合百越民族于中华民族大家庭中起着重要的作用。

这些移民到岭南后便自然而然地将中原先进技术推广开来，是南越富国强兵的中坚力量。

为快速繁衍人口，南越国还积极实施“择优而婚”和“计划生育”政策。赵佗建国称王之后，决心延续春秋时期于越关于繁衍人口的法令：年富力强的男人不得迎娶年老色衰的女人，残年羸弱的男人不得迎娶青春年少的女子；女人十七岁还不出嫁，要追究父母的罪责；家中添丁者上报官府减免赋税徭役，家中添女者上报官府有重赏，一户人家生两个孩子者由官府支付部分抚养费用；家中丈夫身亡，免除三年赋役，儿子身亡，免除三月赋役；允许寡妇与鳏夫结合，鼓励无子人家收养孤儿。除此之外，还抚疾济贫，改革殡葬制度，使生者慰藉、死者安息。南越国推行的“计划生育”政策成效显著。

总之，南越国千方百计增加人口数量，提高人口素质。这些措施切中要害，实施得当，极大地刺激了人口繁衍，在很大程度上促进了南越国的富庶。

南方多水，水利建设至为重要。南越国继承了秦始皇所修灵渠，设置水利官员管理灵渠，进一步发挥其运输、灌溉功能。除此之外，南越国各地都有兴修水利。首都番禺是一座名副其实的水城，城内河渠纵横，城外珠江环绕，番禺城还建有一处木质水闸，也是南端城墙的一道水关，其设计构思和建筑工艺在当时都是世界领先的。水闸根据珠江潮水涨落规律设计，分水闸、泄流两部分，拉开水闸，居民可摇船进城。专家推测，两千年前，人们摇船渡过珠江，如果想从南边上岸进入广州城，那就要通过这个水中关卡。可见，两千年前的南越国水利技术多么精湛！

在南越国墓葬中出土的粮食作物主要有水稻、黍、粟、菽、薏米、竽、大麻子等，其中水稻是古越人的主要粮食作物，也是南越国最常见的粮食作物，非常适合岭南地区高温多雨、水源众多的生长环境。墓中出土的瓜果蔬菜主要有柑橘、桃、李、荔枝、橄榄、乌榄、人面子、甜瓜、木瓜、黄瓜、葫芦、姜、花椒、梅、杨梅、酸枣等，其中荔枝是岭南特有的水果，据说赵佗曾将荔枝作为贡品进贡给刘邦。在南越国的墓葬中出土的家畜残骸主要有猪、牛、羊、鸡等，出土的野生动物残骸主要有禾花雀、竹鼠等，还有大量的鱼类、鳖类和各种贝壳类等淡水和海水产品。这些都说明了南越国在岭南加强农业生产的举措收到了显著的成效。

在工商业发展上，南越统治者也是不遗余力的。

由中原迁移至越地的移民带来了先进的手工工艺，他们结合越地具体情况不断更新技术，将越人的手工业水平推向一个新的高度。

越人最迟在春秋时期就已经开始使用青铜器，并掌握了原始的青铜铸造技术，但当时青铜器的应用并不广泛，锻造技艺也不精湛。秦始皇统一岭南和赵佗建立南越国之后，来自中原的青铜铸造技术使岭南地区的冶铸业得到长足的进步。青铜器的种类和数量都非常丰富，仅在南越文王墓和罗泊湾一号墓两个南越国的墓葬中就分别出土了五百多件和两百多件的青铜器，主要有铜勾鑃、越式铜鼎、铜提筒、铜熏炉、铜鼓、铜壶、铜烤炉、铜鍪、铜编钟、铜钫、竹节铜筒、铜羊角钟等。在这些青铜器中，除了一部分兵器和日常用具是从中原输入之外，大部分是南越国铸造的。一些铜器体型硕大、胎壁较薄，铸有各式繁杂的花纹，反映出南越国冶炼技术十分精良。

岭南地区的铁器是在秦朝统一岭南之后才开始大量出现的。南越国时期，铁器的使用已经较为普遍，单单在南越文王墓中就出土了种类繁多的农具、手工业工具、武器和生活用具等 246 件。然而，南越国铁矿资源严重匮乏，冶铁技术比较落后，冶铁业不太发达，用于农业生产的铁制农具主要依靠从中原输入，中原离岭南山高路远，边关并不总是那么通畅，因此南越国的铁制农具的普及程度比中原低很多，铁制农具主要在都城番禺附近及郡县治所周边等生产条件比较好的区域使用，远离都城和郡县治所的穷乡僻壤则仍然多使用石器、木器和少量青铜器。

南越国的陶器生产技术也十分精良，样式繁多，用途广泛。南越国墓葬中出土较多的器具就是陶器，仅在南越文王墓就出土陶器991件，以储容器、炊具等日常生活用具和砖、瓦等建筑用具为主。这些陶器大部分为南越国本土制造，多是一些有着岭南风格的几何印纹陶。

南越国的玉器制造业也相当发达，在南越文王墓中共出土了244件玉器。这些玉器主要分为四大类，包括礼仪用玉、丧葬用玉、装饰用玉、器用用玉，器型丰富，用途多样。其中的精品主要有丝缕玉衣、青白玉角杯、承盘高足杯、玉璧、龙虎并体玉带钩、龙凤纹重环玉佩等。这些精美的玉器大部分为南越国的工匠制造，而玉料除了由南越国自产一部分之外，很大一部分则来自于进口。

在南越国的墓葬中还出土了不少盛酒器皿，这说明当时南越国已有了成熟的酿酒和储酒技术。

此外，南越国的金银器冶铸业、纺织业、漆木制造业等都有很大程度的发展。

先秦时期，岭南维系着物对物的原始交换方式，秦平岭南之后，大量南迁的汉人带来了中原发达的贸易方式，岭南地区才开始逐渐进入货币经济时代。南越国的货币也是从中原输入的，并没有自己铸造的货币，这些货币主要以秦朝和汉朝的“半两钱”为主。

来自中原的移民中有不少是商贾。他们头脑发达、心思缜密、善于经营，使得尚且停留在原始的物物交换的岭南地区一跃而成为实行货币经济制度的商业繁荣之地。

南越建国之后，历代君主都十分注重与邻国尤其是与汉朝的商业贸易。南越国与闽越、夜郎等其他国家的商贸往来也十分密切。吕后与南越国交恶时期，赵佗曾以财物贿赂的方式获得闽越、夜郎、西瓯和骆越等国的归属或支持。

南越国处海滨之地，海上贸易相当发达。越人很早就掌握了内河航运和沿海航行的技术。都城番禺已具备了生产规模庞大的商船队伍的能力。南越国的造船工厂通常分为造船台和木料加工厂，造船台连续几个排列在海边河沿，仅一个造船台就有近百米长。船台结构、船厂布局、钉接技术、木材加工技术都达到当时国际先进水平。船舶规格有“三翼”之分，大翼长十丈，中翼长九丈六尺，小翼长九丈。

当时的南越国已经开辟了通过南中国海与东南亚和南亚诸国进行商业贸易的路线，这条海上航线较之唐宋时期的“海上丝绸之路”早一千年。通过这条航线，南越国获得了东南亚、南亚及经由东南亚、南亚输入的舶来品，如银盒、象牙、金花泡饰、乳香等，南越国也直接出口以及汉朝经由南越国出口了大批商品。

随着对外贸易的发展，沿海沿江城市迅速成为贸易中心。番禺、徐闻、合浦等沿海商业城市迅速崛起，成为中外交通贸易和物资交流的集散地，抱布贸丝者不绝于道。

中国北方建筑作为支撑的柱子多为圆柱和方柱，菱形的柱子是南越王宫特有的，一些切割技术和砌法有着西亚的风格，这些都与这条海上航道息息相关。

在文化建设上，赵佗也表现出开阔的胸襟。《粤记》盛赞“广东之文始尉佗”正是这一事实的反映。

秦平百越前，越人的记事方式停留在刻符的阶段，尚未演化为成形文字，各地语言不通，给记忆和交流带来很大障碍。赵佗主政后，考虑到南越国大部分官员来自中原，便将汉字——秦统一后“书同文”政策倡导的小篆，汉代时惯用的隶书——定为官方文字，起草诏令、百官上奏时均用汉字，还在南越国全境推广使用。在日常交流上，赵佗还大力推广中原语言。后来，南越国统治者还促进文字和语言改革，还吸收了越人语言文字的某些特征，大大适应了统治形势的需要。

百越民族多才多艺，在赵佗“汉越一体”政策下，越族艺术与中原艺术得以融会贯通，如舞蹈就有越式舞和汉式舞，越式舞五花八门，有翔鹭舞、羽舞、武舞、芦竹舞等，汉式舞比较单一，即长袖舞。越人对乐器有特殊的感情，因为乐器不仅有演奏的功能，还是权力和财富的象征。越人的乐器种类繁多，打击乐器有钟、磬、勾鑃、铙、铜鼓等，弓弦乐器有琴、瑟等，吹奏乐器有笛、箫等。在这些乐器中，铜鼓是最有特色的土著乐器之一。越人还十分重视美术，反映出他们的审美情趣，他们的饰画、壁画等也兼具汉越双重风格。

历史充分证明，赵佗缔造的南越国是岭南文明的奠基时期。他在南越国的建设和岭南地区的开发中发挥了十分积极的作用。赵佗在岭南的大开发使得尚处在原始社会末期的越人结束了分散的部落统治，一跃而直接跨入文明有序的封建社会，与中原的差距大大缩小，极大地推动了岭南地区的文明进程。在这个过程中，赵佗表现出了博大的胸怀和恢弘的气魄。在今日的广州南粤先贤馆内，赵佗位列第一，被称为“开发岭南第一功臣”，实至名归。

三、越人治越：南越国的“王与马，共天下”

在某种意义上可以说，南越国政权实行的“汉越一体”政策是东晋之前“王与马，共天下”的典范。由于赵佗抚绥有道、恩洽扬夷、和济粤众，故而能够得到汉、越各族人民的拥戴。由于“和辑百越”和“汉越一体”政策的坚决推行，南越国政权愈加巩固了。

吕后背约致使汉越交恶后，南越国一度解除与汉朝的君臣关系。汉文帝为修复汉越关系，曾在给赵佗的信中说：“服岭以南，王自治之。”此处的“自治”一词大概是关于自行管理的最早来源了。从华夏文化圈的高度来看，赵佗建国岭南开启了中国古代区域自治和民族自治的先河。不仅如此，在南越国内，赵佗还依据国情、民情实施了旨在加强统治、维护稳定的区域、民族自治的进步举措。

赵佗建立南越政权时，起初是以“中国人相辅”，“以其党为假守”，即以中原人来统治越人。然而，这个举措毕竟只是个过渡，长此以往，中原人与越人发生利害冲突，南越政权将面临潜在威胁。用苛法钳制越人必将失败，若要在岭南长期立足，必须采取积极的民族政策，吸收越人加入南越政权，对越人中的精英分子委以要职，使越人以主人翁的姿态来支持南越政权，分享岭南各民族团结的福泽。赵佗便注意吸收有威望的越人首领参与到南越国政权建设和政务管理中来。南越国在赵佗“和辑百越”政策的指导下，政权日益巩固，国力大大增强。

有些越人如吕嘉、俞宋等既是越人头领，又是南越国重要大臣。赵佗这样做的目的是使越人认识到南越国政权的生死存亡与越人的切身利益息息相关，越人为维护南越国政权而不至于反叛。

吕嘉是越人的伟大首领，是南越历史上影响最为深广的越族土著人，深受越族百姓信任，享有“越众酋师”、“越人之雄”的盛誉。传说吕嘉本是西瓯部落的酋长，少年时曾接受中原汉化教育，通晓诗书礼乐，深谙人伦典制。在秦平百越战争中归顺秦军，并协助秦军迅速平定百越，深得任嚣和赵佗的倚重。在赵佗主政龙川县和南海郡时，吕嘉发挥了极大的作用，在汉越民族融合和岭南开发建设上立下了不可磨灭的历史功勋。

赵佗建立南越国后，为巩固政权，积极拉拢土著人，把吕嘉调升中央，封地置产，并任命为丞相，直接参与处理王国军政大事。吕嘉在任上，协助赵佗推广中原先进农耕技术和中原文化，在南越政权稳固、强大和岭南繁荣昌盛上贡献殊大。

自赵佗时起一直延续到南越国灭亡，吕嘉连续担任三代南越王的最重要辅臣，似乎南越国的丞相之职是专为吕嘉所设。吕嘉的弟弟被封为将军，吕嘉宗族中“为长吏者七十余人”，朝中势力盘根错节，一时权倾朝野。吕嘉的家族世代与南越国王室联姻，其宗族“男尽尚王女，女尽嫁王子宗室”，甚至还与苍梧王赵光联姻。借助与王室的联姻，吕氏家族在南越国的地位更加显赫，同时也更加忠于南越国。赵佗主动向吕嘉示好并委以重任，实际上是向越人表明立场，十分欢迎越人中的精英分子参与政权管理，共同维护南越国的长治久安和岭南百姓的安居乐业。

俞宋也是一位声名显赫的越人首领，可各种史料对他提及甚少。俞宋任西瓯首领时广施恩惠，深受百姓爱戴，还曾在抵抗屠睢的攻伐中屡立奇功，杀死了屠睢，在越人心目中是一位威望很高的英雄。

屠睢死后，俞宋率领的西瓯人军心大振，坚决不同意秦军的请和，决心与秦军战至最后一人。然而，秦始皇毕竟不是柔弱的绵羊，见到小小一个西瓯都胆敢如此气焰嚣张，他的虎狼之心被激发了出来。不久，秦始皇令任嚣、赵佗率大军再次旌旗南指、攻伐百越。调整了战略战术的秦军已经对西瓯部落形成了合围之势。朝廷还派了钦差，准备将俞宋的人头带回咸阳。面对秦军的强大攻势，一向凭仗部落的强大侵扰邻近部族的西瓯部落陷入进退维谷的处境，在生死存亡之秋，为保住部族生存，首领俞宋力排众议，投降秦军，并把自己的女儿嫁给赵佗。

有了俞宋的加盟，平定西瓯的战火很快熄灭。在赵佗的建议下，任嚣任命俞宋仍为西瓯首领，管理西瓯事务，并宣告其他越族部落只要真心归顺，一切照旧，绝不妄杀一个越人。俞宋还派人四处现身说法，劝勉大家归顺秦朝。在俞宋的感召下，周边其他部族纷纷归顺，表示臣服大秦帝国，尊奉秦始皇为天下至高无上的君主。

俞宋归降后，时常在赵佗军帐出谋划策，逐渐成长为赵佗麾下举足轻重的人物。面对雒越族对秦军实行的坚壁清野战术，任嚣发誓要给他们点颜色看看，便派人前去搦战。此时，俞宋及时提醒赵佗，越人久居南蛮，教化未开，不像中原人那么温恭有礼，不可采取强硬态度。赵佗采纳俞宋的建议，劝说任嚣不要滥杀以免酿成屠睢那样的灾祸。俞宋自归秦以来，一直想为秦立功，以确保自己在百越的地位，遂设计降服雒越，俞宋的地位和威望再次大大提升。

赵佗任龙川县令和代理南海郡尉期间，俞宋对赵佗的辅佐也是不遗余力，为他的女婿制定施政方针及贯彻执行积极奔走呼号，发挥了不可替代的作用。

秦军在岭南大兴土木，引起世居番禺、龙川越人的拼死抗争。然而，秦朝统一的岭南大计是不会更改的，但又不便采取武力解决，一时任嚣、赵佗、俞宋都在考虑应对策略。

俞宋等越人首领自告奋勇，亲自前往越人家里宣扬秦朝恩德，解释掘土伐木是为了越地的发展，对越人有好处。就这样，越人和秦军剑拔弩张的气氛被顺利化解。最终番禺建城、各郡县建城的大计得以顺利实施。赵佗施惠于越人，以“恩泽岭南山水、情遍南越大地”树立威望，是与俞宋等越人首领的协助分不开的。

南越建国后，俞宋以垂暮之年仍担任赵佗的重要助手，为南越国的建立和治理做出了突出的贡献。

南越国统治疆域比较辽阔，最强盛的时期，其疆域包括今日的广东、广西全境和湖南、江西、福建、越南中北部的部分地区。为了有效治理国家，南越国的统治者采取了一些灵活多样的举措，主要是坚决武力攻伐一些不愿意臣服的异己分子，分封越人首领和宗室贵族为王镇守一方，吸收越人担任各郡县官吏，针对一些边远地区还推行民族区域自治政策。

在越人占显著优势的地域，赵佗采取了分封越人首领为王的做法。

象郡、交趾一带地广人稀，山林密布，原始部落势力很强，组织严密，有雒王、雒侯、雒将等组织。“安阳王”蜀泮长期盘踞这一带。根据越南官修史书《大越史记全书》和《钦定越史通鉴纲目》的记载，蜀泮本为战国时代蜀国的王子，因先世蜀王要求与文郎国的雄王通婚遭拒，与文郎国结为世仇。在蜀国被秦国灭亡之后，蜀泮率军南下，到达现在的广西和云南，随后辗转南下，进攻世仇文郎国。最后一代雄王自恃强勇，不为兵备，在蜀泮进攻的时候因酒醉坠井而死。约公元前 316 年，蜀泮自立为王，称安阳王，改国号为瓯雒。安阳王建立新都思龙城，因该城盘旋如螺形，所以又称古螺城。

早在任嚣、赵佗南平百越时，彪悍好斗的安阳王蜀泮就盘踞在后来的象郡、交趾一带，统治区域多为生性强悍的蛮洞人，极大地妨碍秦军向前推进。不解决安阳王蜀泮的问题，秦军便无法取得统一岭南的胜利。

赵佗试图采用招安的方式，却遭到安阳王的严词拒绝，“安阳王”还率兵四处袭扰其他部落。看来，大战不可避免，大有一触即发之势。

公元前210年，赵佗在北江的仙游山与安阳王交战，激战正酣，蛮洞人使出了看家宝贝。原来古蛮洞人非常擅长制造弓箭，他们发明的“錭箭”号称“灵弩”，杀伤力极大，一箭可以穿透十几个人。蜀泮正是使用这种特制武器才击退了秦军。秦军心生畏惧，一时难以找到破敌良策，便退守武宁山，遣使讲和。双方约定以平江为界，北为秦界，南为安阳王界。

为打开局面，赵佗改变策略，以和亲为手段试图窃取灵弩的制作工艺，攻杀安阳王。赵佗的儿子赵仲始娶安阳王的女儿兰珠（有些史料称“媚珠”）为妻，入赘安阳王蜀泮家。不到三年，赵仲始便学会了灵弩的制作工艺，窃取了灵弩，还用偷梁换柱之计将其掉包，后来以省亲为名北归，临行前对爱妻兰珠说：“一日夫妻百日恩，夫妇恩情不可相忘，如两国失和，南北隔别，我来到此，如何得相见。”兰珠深明大义，知道丈夫一去则难有相见之日，便说：“妾有鹅毛锦褥常附于身，到处拔毛置岐路，给你做指引。”赵仲始顺利返回秦军营地，将事情原委告诉赵佗，赵佗感慨良久。

任嚣病逝前嘱托赵佗岭南遗策。为据险自立，赵佗再次发兵南下进攻安阳王。安阳王仗有神弩不以为然，待秦军逼近，安阳王悠然地取出神弩试图还击，但神弩已经失去灵验。安阳王不知灵弩被窃且制作工艺传出，被赵佗打败，便慌忙与女儿兰珠同乘一马逃跑。赵仲始认准鹅毛率军紧追不舍，安阳王逃至海滨后下马向金龟求救。突然，金龟浮出水面发出一声惊呼：“大王背后的人是贼兵！”安阳王惊慌失措，失手挥剑斩杀女儿兰珠。在金龟的协助下，安阳王持七寸文犀走入海中，金龟为其开道遁入海底。奄奄一息的兰珠躺在赵仲始怀中祷告道：“妾为女儿，如果叛逆害父，死后将化为尘埃；如果一腔忠孝被人蒙蔽，死后变成珍珠，让海水洗刷我的罪恶。”说罢便闭上了眼睛。兰珠的血流入海中，化为了粒粒明珠。赵仲始见状痛哭不已，将兰珠的尸体归葬螺城，其尸体化为玉石。后来赵仲始因思念兰珠，投井而死。

还有一种说法是，安阳王战败后退据一隅，仍以部落酋长身份统治一小块偏远地区，赵佗无力率军清剿。后来，安阳王趁中原战火纷飞、赵佗无暇顾及时卷土重来，在象郡疯狂扩张，成为一支较为强大的势力，后来在南越国军队的攻杀中终于败亡。

赵佗假借和亲之名攻杀蛮洞人的事迹广为流传，历代褒贬不一，有为赵佗谋略赞誉有加者，有对蛮洞人英勇抵抗报以敬重者，更有为兰珠对亲情和爱情的忠贞执著感慨万千者。清人袁枚《随园诗话》曰：“赵王父子开边界，赖种兰珠一朵花。铜弩三千随婿去，女儿心太为夫家。”如今，越南北部依然流传着这个凄美的故事，还建有很多供奉兰珠的庙祠。

通过与安阳王的交战，赵佗深入了解了桂林郡、象郡各部落的实力，意识到南越国扼五岭、守险隘必须将越人问题解决好。赵佗军队不能继续与越人部落为敌了。于是，赵佗主动向越人示好，送去许多中原珍惜器物，与越人首领结为同盟。

安阳王虽被攻灭，但赵佗深知若要彻底铲除这些部落势力，改造其社会组织，在当时是很难办到的。于是，赵佗开创性地推行“越人治越”政策。在击破“安阳王”后，南越国只委派官吏去“典主”，主持当地政务，保持名义上对交趾的控制权，对其社会组织的中、下层结构仍保持旧状，对上层结构也不做彻底改变。

秦汉时期，疆域跨红河两岸有个叫做“瓯貉”的国家。在瓯貉的国家机器中，蒲政、貉侯和貉将处于重要地位，蒲政相当于部落的族长，貉侯是行政管理者，而貉将就是军事负责人，这是早期“三权分立”制度的雏形。

对瓯貉人来说，定都番禺的南越国不过是一个符号而已，这个由中国地方政府蜕变成的割据政权对他们显得毫无吸引力。赵佗自度难以有效控制这一地区，也没有费心去占领瓯貉，只是将象郡一裂为二，设置交趾、九真二郡，后来又在附近设置了日南郡，委派文武官员前往镇抚，各部族政务仍靠蒲政、貉侯和貉将进行自治。

当时交趾某地区很大程度上在某位西瓯君长的后裔控制下，他的家族拥有强大的影响力、号召力。为了安抚这个家族并通过这个家族约束当地越人，赵佗仿照汉朝中央分封诸侯王的举措，在交趾地区分封了一位西于王，由这个家族中的领袖担任，让他自治一块情况复杂的越人聚居地区。为了进一步笼络人心，南越国统治者还经常给他赠送礼物，通报嘉奖他的功绩。

赵光是赵佗的族弟，在南越国威望颇高，素来受到赵佗器重。汉越交恶时，赵佗自立为南越武帝，封赵光为苍梧王，镇守一方。后来赵佗虽去帝号，但在国内仍称皇帝，赵光苍梧王的地位没有受到撼动。作为梧州历史首任行政长官，赵光在赵佗“和辑百越”、因地制宜国策的指导下，勤于政事，苍梧地区的发展蒸蒸日上，逐渐脱离蒙昧落后状态。

针对闽越、西瓯、骆越等部族政权的实际状况，南越国统治者通过财物结纳的方式取得名义上的领导权，使其行使自治权。

除了吕嘉、俞宋、西于王这样的朝中重臣和封疆大吏，各级军政官吏中都闪动着越人的身影。不少越人裂土封侯、身居要职，如归义侯郑严和田甲、驰义侯何遣、赵郎都稽、湘长侯桂林监居翁、瓯骆佐将黄同、嘹侯毕取、揭阳县令史定，等等。这些人都是见于《史记》或《汉书》中的身任南越国官职的越人，推想未见诸史籍的基层越人官吏当更多。

在某种意义上可以说，南越国政权实行的“汉越一体”政策是东晋之前“王与马，共天下”的典范。由于赵佗抚绥有道、恩洽扬夷、和济粤众，故而能够得到汉、越各族人民的拥戴。由于“和辑百越”和“汉越一体”政策的坚决推行，南越国政权愈加巩固了。

第六章

寿星皇帝：两千年前的百岁老人

世人皆言赵佗是老寿星，有的史书记载他终年121岁，有的史书虽未有明确记载其生卒年，但南越自公元前204年立国到公元前111年被汉所灭，共历五代93年，其中开国者赵佗在位66年，加上他参与治理岭南的时间共有81年之久，其高寿当为凿凿之论。

世人皆言赵佗是老寿星，有的史书记载他终年 121 岁，有的史书虽未有明确记载其生卒年，但南越自公元前 204 年立国到公元前 111 年被汉所灭，共历五代 93 年，其中开国者赵佗在位 66 年，加上他参与治理岭南的时间共有 81 年之久，其高寿当为凿凿之论。

在中国历史上，帝王鲜有寿命超长者，由于身心疲倦、肆情酒色等因素他们往往并不比普通百姓长寿。清代乾隆皇帝 89 岁、南朝梁武帝 86 岁、大周皇帝武则天 81 岁、南宋高宗赵构 80 岁，这些就算是极为高寿的帝王了。赵佗前半生戎马倥偬，居身行伍，后期面临南越复杂的国内外形势，反倒能够活到一百多岁。在“人生七十古来稀”的古代社会，赵佗如何能够独领风骚呢？他长寿的秘诀在哪里呢？归纳起来，有重视养生，勤于锻炼，心态平和等数端，更与南越国的自然环境、饮食风俗不无关系。

第一，赵佗非常重视养生之道。

岭南瘴气重、水土碱性高、四季不分明的特殊气候，不利于改造自然能力较弱的古人生活。赵佗所率秦军和中原移民由中原不远万里来到岭南，水土不服是正常的事情。士卒们口舌生疮、脊背长疽、体困力乏，军中还流行瘟疫。赵佗遣使四处访求名医，还亲自登门学艺，深入民间搜集养生秘方。

南越国建立后，赵佗专设食官，负责饮食事宜。

相传一位黄姓食官将搜集来的近千种养生秘方综合起来，最终摸索出一种汤膳调理养生配方。后来，他又利用当地丰富独特的食材资源配制出一种养生汤料，以鼎盛，以柴火炖，短则数小时，长则数日炖煮，然后取其中汤汁，每日献与赵佗食用。此汤经过静心制作，每滴都是精华。赵佗坚持服用，身体状况果然大异于前。赵佗大悦，重赏该食官，并将此养生汤赐名“尚汤”。自此，赵佗便与养生汤结下不解之缘。因其气血充足、精神饱满，虽近暮年却少有疾病困扰，成为名副其实的寿星。

受赵佗的影响，南越百姓上至钟鸣鼎食之家，下至寻常百姓之舍，纷纷养成炖汤、喝汤的养生习惯。今日广东人以汤养生，享有“懂吃善养生”的盛名，实际上始于赵佗。

当今饮食养生认为，吃“四条腿的”不如吃“两条腿的”，吃“两条腿的”不如吃“没有腿的”。所谓“两条腿的”就是飞禽，“没有腿的”就是鱼类。

越人对飞禽有特殊的喜好，相传他们“宁食天上四两，不食地上半斤”。禾花雀自古有“天上人参”之美誉，是南越宫廷上上之食物，御厨需用黄土包裹密封后置炭火中烘烤焙熟，期间火候、顺序都不能有一丝差错。陆贾使越时，赵佗便用这道菜肴款待他，古书有“汉使啧啧称奇”的记载。

鱼鳖之类的水生动物历来被认为是养生大补之物。岭南滨海临江，水产丰富。赵佗早就与鱼鳖结下不解之缘，他酷爱食用鱼鳖，尤其爱喝鱼鳖之汤。此类食物有滋阴凉血、解乏驱困、舒肝益肾之功效。赵佗活过百岁当与嗜食鱼鳖有密切关系。

南越国的食官将中原先进的烹调技术和炊具与当地丰富的食物资源及饮食方式完美糅合在一起，最终形成独树一帜的粤菜风格。这种兼容并蓄的饮食风格影响了岭南地区达两千多年，奠定了今天“食在岭南”的历史地位。

针对中原士兵不适应岭南湿热气候的状况，赵佗还派人收集能够除湿降暑的秘方。随军郎中以莲子、百合、淮山、薏米、芡实、沙参、玉竹为原料研制出了一种药食两用的粥,名曰“清补凉”。此粥可以清热气、补元气、健脾益肺，且老少咸宜。今日广东人爱喝凉茶的习惯始于此时。

为了保持精力旺盛，赵佗不仅自己每日服用此粥，还命令部下每日晨起时分食用一碗。士卒服用此粥后，倍感身心镇静、精神抖擞，体内湿热之气得以祛除。后来，赵佗又令郎中研制更加简易可行的药食配方，推广全军。汉越交恶时，中原士卒无法适应岭南环境，举步维艰，而南越士卒则如龙入海、挥洒自如，成功挫败汉朝攻伐。可以说，南越国政权稳固在一定程度上得益于赵佗推行的健身养生之法。

第二，赵佗十分重视饮水安全。

水是生命之源。古人将水看得很神圣，认为“生气”旺盛的福地通常有水质良好的泉水。

赵佗初到岭南，意识到这里虽是水乡，但海潮泛滥，钻井技术低劣，井水质量普遍不佳。经过一番勘察，他决定在越秀山凿井取水，并设置独特的滤水设施保证饮用水的安全。这口井就是有名的“越王井”。

越王井是岭南最著名的古井，是当年赵佗在龙川时为解决市民和驻军的饮水问题而带领士兵亲自开掘的一口井，也是赵佗在龙川时的饮水井。此井距赵佗的住宅仅有三、四丈远。其泉源自嶅山，泉极清冽，味甘而香。据清代《广州府志》记载,越王井水质纯美甘冽,“乃玉石之津液”,

赵佗饮用此井中水后，“肌体润泽，寿百余有岁，视听不衰”。

第三，大枣的滋补对赵佗延年益寿影响很大。

赵佗喜爱吃大枣，这个习惯贯穿他生命始终，尤其是在南越称王后更是每日进枣不绝。

枣在中国已经有八千多年的种植历史，自古以来就被列为“五果”（桃、李、梅、杏、枣）之一。枣树种植范围广，是一种栽培技术不复杂的果树。

大枣被称为长寿果，具有补中益气、养血安神、促进睡眠、养颜化淤、健胃补脑、保肝护肝、延年益寿等诸多功用，至今民间还流传“每日三颗枣，永远不显老”的谚语。

古人早就认识到大枣具有延年益寿之功效，帝王贵胄们对枣都很重视，将其视为沾有“仙气”的养生必备品。不少出土铜镜上刻有“渴饮甘泉饥食枣，上有神仙不知老”的铭文。秦汉时期，人们甚至将枣当作长生不老之药。南越文王墓、长沙的马王堆汉墓等秦汉墓室多有大枣出土，反映出当时社会上弥漫着食枣养生的浓烈风气。

赵佗无疑是这种风气的推动者。枣树起初广布于中国北方，秦汉时期，中原人南迁时将枣树引进岭南，但数量有限。汉越通关互市时，南越国从汉朝进口大枣，但汉越之间的贸易并不是始终畅通，贸易主动权掌握在汉朝一方。为了解决大枣难题，赵佗命令将从中原引进的枣树广泛种植在首都番禺附近的山上。赵佗还专设管理枣树的机构和官吏，由此可见大枣的生产和食用是南越宫廷的重大事件。

第四，赵佗重视改善居住环境。

考古人员在1983年出土的南越文王墓发现南越王宫的曲流石渠，石渠约由北向南，迂回向东，注入一弯月形石池后又折向西流，蜿蜒横贯整个御花园。曲流石渠从石构蓄水池中经由“木暗渠”把白云山之水引进园内。我们可以充分发挥想象，清澈的泉水掠过底部密排着的黑色鹅卵石，在急弯处修砌着的“水潭”和“渠陂”中产生漩涡，一路蜿蜒贯穿整个御花园，在花园西侧再次顺着“木暗渠”，伴随粼粼碧波，最终注入大江。这条以观赏潺潺溪流为主要功能的曲渠对赵佗长寿也造成了不小的影响吧。

在龙川城的塔西村附近有一处著名的温泉——合溪温泉，天然琼浆对人放松身心、祛除疾病极有好处，赵佗常在此地浸泡温泉。赵佗称王后，在居住地附近也找到几处温泉，时常去浸泡，这对赵佗的长寿也有帮助。

第五，生命在于运动，赵佗非常酷爱体育锻炼。

赵佗本是武将出身，经常使枪弄棒、骑马射箭、郊野狩猎，不失武将本色。他每次外出巡游不仅阵容鼎盛，而且出游路程也很遥远。新兴树木繁茂，遮天蔽日，鸟兽成群，是赵佗狩猎的好去处。某日，他在此地猎获一头白鹿，惊喜过望。白鹿在当时是瑞兽，猎获白鹿是一件非常吉祥的事情。赵佗便在此修筑了一座“白鹿台”，岁时祭拜，祈求风调雨顺、国泰民安。

除了这些原因之外，基因优良、作息规律、心态平和、调摄情志、节制声色等也是赵佗得以成为寿星的原因。

第七章

生前身后事：风蚀雨涤中的“先人冢”和赵佗墓

在汉越交恶和修好的一系列交锋中，“先人冢”扮演着至关重要的角色。

赵佗为使自己的寝宫不被骚扰，绞尽脑汁，费尽心思，看来他早已做好和后世打一场旷日持久的珍宝争夺战的心理准备。

一、烟树苍茫锁赵陵：赵佗“先人冢”

赵佗建国称王后，汉朝与南越国的关系变得十分微妙，“先人冢”成为汉越关系的晴雨表。

中国人素来有祖先崇拜的习俗，即基于亲缘意识而萌生的对本族始祖先人的敬拜思想，相信祖先神灵具有神奇超凡的威力，会庇佑后代族人并与之沟通互感。中国古人十分重视丧葬礼仪，尤其表现在对祖坟的敬重态度上。

长期客居岭南的赵佗十分惦念远在故乡恒山郡真定县的“先人冢”和赵氏宗族。赵佗本是没落贵族出身,其祖上曾有过无上的荣耀。其“先人冢”是一片壮丽宏伟的陵墓群，相传有三十余座墓冢伫立于滹沱河南岸，墓冢周围云山雾罩，古木参天，芳草萋萋，祠庙林立，列列古墓宛如座座小山掩映在苍茫林海之中，颇有魅影掩青山之状。

赵佗建国称王后，汉朝与南越国的关系变得十分微妙，“先人冢”成为汉越关系的晴雨表。在汉越交恶和修好的一系列交锋中，“先人冢”扮演着至关重要的角色。

赵佗建国南越后，自度不能与汉朝相匹敌，遂接受汉高祖刘邦所派使者陆贾的建议，向汉称臣，受封为“南越王”，通使互市。然而，好景不长，高祖驾崩，吕后柄国，禁绝边境贸易，扣押使节，毁坏赵佗“先人冢”,迫害其宗族,赵佗被迫与汉朝决裂,边境烽烟四起。诸吕之祸平息，文帝刘恒初即位，改变国策，与南越国修好，修葺赵佗“先人冢”，并置吏管理，善待其宗族。陆贾第二次使越时，刚柔相济、恩威并施，除阐明文帝修葺“先人冢”的诚意外，还以开掘和焚烧“先人冢”威胁赵佗就范。最终，双方都审时度势，汉越修好，避免了刀兵相向。

在吕后、文帝、陆贾的意识中，对待“先人冢”的态度实际上是表达汉朝对南越国政策的标志，是一种政治行为：毁弃“先人冢”意味着汉朝对南越国推行强势打压政策；修葺“先人冢”则意味着汉朝对南越国推行和平招抚政策。

同样，在赵佗的思想意识中，汉朝对待“先人冢”的态度就是对南越国的态度，甚至在很大程度上决定其政治立场和政治态度，而军事决策之战争与和平，国家形势之安定与危难，很大程度上都取决于此。中国礼制传统对于墓葬是明确予以保护的。在宗法制长期有规范性影响的中国传统社会,保护冢墓,已成为一种道德行为的准则。吕后掘烧赵佗“先人冢”的暴虐行为是对礼制传统的公然践踏，是赵佗无论如何也不能容忍的，因而明知实力不及汉朝依然发兵攻汉。文帝怀柔远人，表现出博大胸怀，修葺赵佗“先人冢”，自然能笼络人心，让人心悦诚服。因此，赵佗再度臣汉，并谨守诺言，修建了“朝汉台”，不管寒暑四时，经常向北方朝拜三次。可见，“先人冢”在赵佗心目中的地位是至高无上的。

赵佗“先人冢”因其传奇性吸引了历代文人骚客前来凭吊。明代文人梁梦龙在《忆赵佗》中曾写道：

高冢累累列道旁，尉佗南粤久称王。
功成七郡归真主，事去千年留故乡。

明代另一位诗人杨睿曾留下描述“获鹿八景”的诗句：

灵岩隐动自天成，抱犊峰岚瑞蔼宁。
雨过海山石柏现，云开横岭翠屏生。
残碑剥落遗韩庙，烟树苍茫锁赵陵。
更有龙池施夜雨，鹿泉水涌若珠倾。

其中，杨睿还专门为“获鹿八景”之一的“烟树苍茫锁赵陵”作诗曰：

赵佗南下秦皇令，南越国王高祖封。
先人陵墓在获鹿，郁郁葱葱烟树中。

汉文帝专门设置官吏和士卒世代守护陵墓，官兵们生息繁衍，后来在此形成了一个村庄，至迟由晚唐开始，位于墓地附近的村庄就被称为赵陵村，后来的赵陵铺就是在赵陵村基础上发展而成的。

二、死有秘异神秘之墓：扑朔迷离的身后之事

民间传闻孙权曾派人去番禺开掘赵佗墓，却挖到赵婴齐的墓室。唐传奇则暗示赵佗墓在唐代即被开掘，盗墓贼对其兴趣也历久不减。这位

叱咤风云的神秘者不仅在生前给历史展现波澜壮阔、大喜大悲的别样景观，身后也为后人留下引人入胜、扑朔迷离的遐想空间。

关于赵佗的传说，最神秘的莫过于他的安息之地。

赵佗的坟墓到底在哪里？

有些人认为，赵佗本是北方人，因风云际会在岭南建立政权，却一直心系北方故土，非常关注身后之事，还命工匠仿照汉朝墓葬制度在故乡恒山郡真定县修建陵寝，临终前留下遗诏，殁后葬于祖坟旁。经过考古学家的多方考证，这种说法已经没有多少市场，可以断定赵佗墓不在北方。

还有些人认为，赵佗墓应该在龙川。理由是：龙川是赵佗在岭南的发迹地，终其一生，赵佗对龙川都有很深厚的感情，当时有“发迹于斯葬于斯”的习俗；龙川与番禺之间虽有千里之遥，却有水道相连，交通便利；且龙川风景秀丽、山河壮美；赵佗称王后，还在龙川郊外五华山建有行宫“长乐台”。这种说法只停留在推论上，并未有什么确凿的证据，因而可信度不高。

目前最流行的说法是，赵佗墓在当时南越国首都番禺附近的山脉上，即今日广州附近的越秀山上。这种说法得到大量历史文献和考古文物的佐证，当为属实。但具体在越秀山哪个位置尚不能确定，目前流行的几种说法有：番禺城的城西、城西南、城北、城西北、城东北。

相传番禺城外越秀山上有一处“龙脉”，名曰“马鞍冈”，秦始皇怀疑此地有“天子气”，曾派人前来凿洞，以破坏地气，不料凿出大量血水，在场所有人无不大惊失色。赵佗闻讯，也相信这里的确有“天子气”，为求得身后安宁和子孙传之万代，便秘密在越秀山上广造墓室，遍设疑冢，还在疑冢中摆出疑阵，机关暗器密布，令盗墓者望而生畏。汉武帝建元四年（公元前 137 年），赵佗寿终番禺。出殡当日，但见灵车四出城门，分不清孰真孰假。下葬时，每个坟墓都埋有棺椁，即使亲身参与下葬的人也不知道哪处墓穴是赵佗真身。

晋人裴渊据此传说认为，赵佗墓就在越秀山上的马鞍冈。晋人张勃《吴录》认为，赵佗墓在禺山。唐代李吉甫在《元和郡县图志》中也说，赵佗墓在禺山。北宋初南海主簿郑熊在《番禺杂记》中记载，赵佗墓在白云山菖蒲涧一带，理由是菖蒲涧有一只石马，马舌头上镌刻着一首诗："山掩何年墓，川流几代人，远同金骠裹，近似石麒麟。"宋人蔡如松则认为，赵佗墓在越秀山下的悟性寺里，理由是赵佗素来重视修身养性，希望自己身后能够得到神灵的庇佑。明代张诩在《南海杂咏》中认为，自越秀山到白云山延绵约十公里的山脉就是赵佗墓所在。清初屈大均《广东新语》记载，自鸡笼岗到越王台，连山接岭，皆称赵佗墓。

从既有的考古成果和常识推断，"禺山"说、"白云山"说、"鸡笼岗"说可以被否定。今天考古学家已经在昔日的禺山一带发现了南越宫署遗址和南越国王宫御苑遗址等，赵佗应该不会将自己的陵寝安置在宫署和花园里，更何况禺山比较矮小，不适合做陵寝。至于鸡笼岗和白云山，考古人员至今未发现汉代墓葬和文物，而且鸡笼岗并无真正的山冈，只有残留的丘陵，因而也可以排除。

那么，赵佗墓究竟在哪里呢？

按照现代学者黄文宽先生的研究，赵佗墓很可能在越秀山水塔附近的木壳冈上。曾昭璇、黄森章等学者顺着黄文宽先生的思路继续深入研究，至今已经有不少学者认同赵佗很可能葬在越秀山的说法，最有可能在马鞍山南面的大凤冈、勒茶坑一带，这也符合前述"马鞍冈"说和"悟性寺"说的推理。理由大概有二个：一是越秀山因南越王赵佗而得名，自古传闻有"天子气"，赵佗生前非常喜爱此山，多次登山游赏，死后安眠于此合情合理；二是南越国有"聚族而居，合族而葬"的墓葬制度和殡葬习俗，越秀山马鞍冈附近已经发现有赵佗孙子赵眜的墓室，按礼制，汉人殡葬实行"父曰昭，子曰穆"的陵墓昭穆制度，赵眜应该是追随其祖父才安葬于此的，因而赵佗墓也应在此，这才合乎逻辑；通过众多文献记载和考古文物相互印证，对诸种说法抉择去取，逐一鉴别筛选，这一说法最为合理。

汉承秦制，汉代墓葬制度和殡葬风俗很大程度上承袭秦朝。在贵族墓室建造样式上较具代表性的是土坑竖穴椁室墓。后来在中原大量出土的汉墓中，更多的墓葬被发现是“斩山作郭，凿山为陵、穿石为藏”的大型崖墓。赵佗本为秦将，深谙中原典制，推崇中原文化习俗，其墓葬结构、样式、风格势必深受汉朝中原贵族墓室影响。况且已经被发掘的其孙子赵眛墓室被深埋于象岗山腹心深约十几米的沟堑内，“凿山为陵”的风格尤为显著，墓室结构、样式、风格也与汉朝中原贵族墓室几无差异。因而，可以推断，赵佗墓与汉朝中原贵族墓室应十分相似。

唐代传奇体裁文学作品对赵佗墓有绘声绘色的描写，其言虽十分离奇而不可轻信，但因其流传广泛而导致受接受程度很高。《太平广记》曾转录了唐传奇的一个故事，大意如下：

监察御史崔向文采出众，在朝野之间都享有盛誉。崔向在岭南做官期间，其子崔炜随居南海。某日，崔炜游览海光寺时偶遇一位已近暮年的僧人。该僧人对崔炜说：“山下有一位任姓老翁，身染重病，你若能将他治好，一定会得到丰厚的报偿。”崔炜素以治病救人自任，便下山寻找任翁。不料，刚进任翁家门说明缘由，任翁及仆人不禁怒火中烧，持刀挟刃追砍崔炜。众人追击了六七里，眼看就要抓到他了。此时，崔炜迷路，不小心跌入一口大枯井里。

虽然坠井，但因井底堆满枯叶，崔炜竟然毫发无损。他环顾四周，发现这口井起码有百丈之深，周围空荡荡的，可以容纳上千人。活命要紧，崔炜急忙在幽暗的洞中寻找出口。沿着井壁走了几十里，他趁着些许亮光，看到了井壁上绘制有穿着得体的古代男子，还有几只金色的野兽噬咬着金环。他上前轻轻触摸一下，洞口打开，原来这是一个石门。进入内室，只见室内空空如也，有几百米宽。墙壁上都镌刻着各式花纹，垂金泥紫。再往里走，还有几间锦绣帏帐织成的密室，还装饰有珠宝翡翠，闪闪熠熠，像满天星星一样。锦帐前有金炉，炉上有蛟龙鸾凤、龟蛇鸾雀，都张着口喷出芳香蓊郁的烟雾。四壁有床，咸饰以犀象，上有琴瑟、笙簧、鼗鼓，不可胜记。在往里走，只见一处砌以金璧，贮以水银、凫鹥之类的池子。置身其中，崔炜不知不觉进入另外一个世界，真是恍如隔世。惊呆良久，见石台上有琴，他便弹奏一曲。不多一会儿，有四位挽古髻、衣霓裳的美貌女子从墙壁的门中出来，问崔炜："你为何擅自闯入皇帝的宫殿呀？"崔炜大惊失色，仿佛进入阴曹地府。见崔炜不作声，四女子继续说："皇帝陛下有令，赐予你一件国宝阳燧珠，你出去后，会有异族人用十万匹缗与你交易。"随后，便打开玉函，取出珠宝给崔炜。最后，她们带领崔炜走出深井。

崔炜深信不疑，便打算去波斯寻觅买主。正欲登船，一位年迈的波斯人跪在地上行匍匐礼："您是从南越王赵佗的墓室中出来的吗？不然不会有这种珍稀宝物呀。"此时，崔炜才意识到四女所谓皇帝是赵佗，于是便将经历一五一十告知波斯人。波斯人准备了十万匹缗换崔炜的宝珠。崔炜非常纳闷，便诘问道："您如何能断定我手中的珠宝是传世稀品呢？"波斯人说："这是我大食国的传世国宝阳燧珠呀！汉朝时，赵佗派遣使者远航万里盗得我国宝物到番禺，至今千年了。我大食国有懂得玄象学的人，算出今年国宝荣归故里，因而我国大王差遣我准备大舶重资抵番禺搜求。果然，今日要得到国宝呀。"崔炜见正是四女子交代的买家，便将珠宝交给波斯人，换来了十万匹缗。得到宝物后，波斯人泛舟离去。

这虽然是一个传说，但至少反映出两点重要的信息：一是南越国具有远航的能力，与波斯等异域有交往；二是南越王赵佗墓就在南海某寺庙附近，宝物众多，时常引起人们的觊觎之心。有学者据此认为至晚到唐代，赵佗墓已经被盗一空。

所谓海光寺山下的任翁之室即任嚣墓，是崔炜逃跑的起点。海光寺在今日的越秀山上，任嚣墓在唐南海县城北的팃窌，即在今越秀山北的

梓元冈。崔炜慌乱之中从任翁室逃走，本应向东南奔往城中，因迷失道路，而误往东北逃走，至六七里路，便到了赵佗墓。可见，赵佗墓与任嚣墓并不很远。

扑朔迷离的赵佗墓引起了后世文人骚客的颇多感慨。如宋人方信孺就曾作《赵佗疑冢》一首：

漫说曹瞒七十余，老佗疑冢更模糊。

不知禹葬会稽处，也有累累如许燕。

赵佗一生神文圣武，充满传奇色彩，历代传闻赵佗墓奇珍异宝遍布。自两汉以来，历代盗墓者都对其垂涎三尺。

三国时期，战乱频仍，军费开支极大，各派势力都想从古墓中寻求宝藏。孙权听说赵佗陵墓中埋葬有许多珍宝，竟然不顾雄踞中原正虎视眈眈侵吞东吴的曹魏集团的威胁，执意派遣交趾治中从事吕瑜带领数千士兵寻找赵佗墓。在奇珍异宝的驱使下，士卒们秉承孙权旨意，在越秀山至鸡笼山之间日夜劳作，挖地三尺，最终还是没有找到赵佗墓，但无意中发现了南越明王赵婴齐的墓室，挖掘到金蚕、明珠、玉匣、金印、信玺、铜剑、金镂玉衣等众多宝物。据说，当时负责挖掘坟墓的士兵中有因水土不服而患病而亡的，后来军中瘟疫流行，当地人说是因为掘坟挖墓动了地气，南越王的幽灵对士兵们施了邪术，使盗墓者不得安生。也许正是因为这一原因，孙权才下令停止挖掘。赵佗墓得以免遭浩劫。

斗转星移，随着岁月的流逝，神秘的赵佗墓愈来愈吸引人。因此，历代都有不少人在做着寻找南越王墓珍宝的美梦。他们步孙权的后尘，根据一些蛛丝马迹，踏遍了南自鸡笼岗、北至天井岗及广州方圆百里的大小冈岭，企图找到赵佗陵墓中这笔令人眼红的财产，一些传说较多的山冈成了盗贼们相继盗掘的重点。结果只是水中捞月，反而留下不少轶闻，给南越王墓增添了许多神秘的色彩。

为了寻觅赵佗墓，人们使用了各种奇异的手段。数十年前，“人体特异功能”之风越吹越盛之时，广州的一位“特异功能者”决定用自己神奇的功能协助文物部门查找赵佗墓室位置，但最终徒劳无功。至今，赵佗墓仍然是一个疑窦丛生的不解之谜。

绞尽脑汁的赵佗为使自己的寝宫不被骚扰，绞尽脑汁，费尽心思，看来他早已做好和后世打一场旷日持久的珍宝争夺战的心理准备。

这或许就是赵佗墓扑朔迷离又引人入胜的绝妙之处吧。

中　编

山高皇帝远：在夹缝中喘息的不肖子孙们

赵佗的子孙们显然没有继承他的优良基因，既不及其长寿，又不及其勇武。伴随着王国的哀号和王室的喧嚣，不肖子孙们个个战战兢兢，疲于奔命，在令人窒息的夹缝中因循固守，苟延残喘。

第八章
强邻环伺：文王赵眜的首鼠两端

先王归天，新君即位，人们还没有适应这位羸弱气虚的新主子，忽闻边关告急，闽越大军汹汹来犯。一时间，朝野哗然。文王手足无措，万般无奈只得求援于强汉。险情化解了，南越国元气大伤。本来臣属南越国的闽越脱离南越而臣服大汉，随后夜郎也臣服大汉了，南越国失去了左膀右臂，在与汉朝的对抗中更加力不从心。

一、赶走豺狼迎来恶虎：闽越国的翅膀硬了

先王归天，新君即位，人们还没有适应这位羸弱气虚的新主子，忽闻边关告急，闽越大军汹汹来犯。

汉武帝建元四年（公元前137年），传奇史诗般的老寿星赵佗驾鹤西游。南越国似乎失去了擎天巨柱，一时哭声四起，声彻越宫。臣民们茫然失措、捶胸顿足。圣君身后，南越国将何去何从？

由于赵佗的儿子先于赵佗而卒，故而王位由其孙子继承，是为南越文王，《史记》中记载其名为“赵胡”，根据考古发现证明当为“赵眜”。

先王归天，新君即位，人们还没有适应这位羸弱气虚的新主子，忽闻边关告急，闽越大军汹汹来犯。

一时间，朝野哗然。

闽越国（公元前202年—公元前110年）是由春秋时期越王勾践的后裔无诸所建，也称无诸国，立国凡92载，统治区域约在今日福建省中北部、浙江南部、江西东部一带。

公元前306年，楚国趁越国内乱之际出兵攻灭越国，将太湖流域纳入楚国版图。越王子孙分散到江南海滨山野之间，各据一方，自立为王，互不统属甚至还相互攻伐。这种状态延续了数十年。

无诸姓驺氏，是勾践的十三世孙，约生于战国晚期。他以勾践后裔身份号召越国遗民，占据闽中一带，自立为闽越王。

秦朝扫灭群雄后，将无诸由王贬为君长，并在闽越国故土设置闽中郡。

无诸怒而揭竿，率领部众先归顺鄱阳令吴芮，后接受项梁、项羽领导，会同诸侯痛击秦军。无诸率闽中甲兵随沛公刘邦入武关、战蓝田，作战凶猛异常，功勋卓著。

暴秦灭亡后，因向项羽请封闽王未能如愿，无诸投靠汉王刘邦，率兵抗楚。

刘邦称帝后，立无诸为闽越王，仍然统辖闽中故地，定都东冶。之后，闽越国臣服汉朝，内修清明之政，很快强盛起来，成为西汉王朝东南部一股强大的割据势力。

无诸死后，子孙内讧迭起，纷争频仍。闽越国统治者还恃强凌弱，北并东瓯，南击南越，迫使周边刘姓诸侯国向其贿赂交好，企图称霸百越，威慑汉廷。

汉景帝时期，朝廷派周亚夫平定吴楚七国之乱，与闽越国有亲缘关系的东瓯国为求自保而斩杀了叛军首领吴王刘濞。刘濞的儿子刘子驹逃亡到闽越国，唆使闽越国君主郢起兵讨伐东瓯国。郢自恃国力雄厚，便在建元三年（公元前138年）大举进攻东瓯国，围其都城，杀其国王。东瓯将亡，遂向汉廷求援。汉武帝派遣将军严助发兵会稽，浮海相救，扭转了战局，郢退守闽越。汉军自度不谙闽越国地形，不敢孤军深入，遂罢兵而归，偃旗息鼓。

南越国与闽越国的关系时好时坏。吕后称制时期，汉朝与南越国关系破裂，隆虑侯周灶率军攻伐南越受挫。及吕后死、汉军退，赵佗乘机扩大势力，他一面以珍奇异宝修好闽越国，使其倒向自己一边，一面攻取长沙国边邑数县，还进军江西一带，扬威边境。周边的闽越国、夜郎国等纷纷闻风归附，南越国进入全盛时期。

后来，南越国继续通过财物贿赂的方式笼络闽越国、夜郎国，巩固尚不稳定的领导权。

芸芸众生总是有小富即安的思想。试想，闽越国虽偏安一隅，闽越王郢好歹王霸一方，统辖数十万黎民，金辇华盖、琼浆玉液、绫罗绸缎应有尽有，南面称孤而群臣山呼，英姿飒爽而狩猎疆场，何其壮哉！

如果真这样想，那就大错特错了。

燕雀安知鸿鹄之志哉？

闽越王郢是一位有鲲鹏之志的君王，绝非池中之物。

郢素来仰慕慷慨悲歌之士，以行侠仗义为己任，在闽越地区享有很高的声威。相传闽越首都东治附近的鳝溪中有大鳝危害百姓，每年正月十五都要吃掉附近村庄的一对童男童女，否则便兴风作浪。村民万般无奈，只得每年备好一对童男童女，可谁家愿意将自己的孩子送给大鳝当美餐呢？村民们痛苦万分，将此事报告给郢。郢闻之大怒，誓斩妖孽，为民除害。他只身一人携弓箭前往溪边，见水中泛起气泡，便连射几箭，水中顿时污血翻滚。突然，大鳝跃出水面将郢拖入水中。郢左右翻腾，使出浑身解数，拳头如雨点般打在大鳝眼睛上。过了许久，大鳝一命呜呼，郢也筋疲力尽地浮到岸边。村民们争相传诵郢的英勇果敢，以至整个闽越国都知道有这样一位英雄在佑护着国人。

郢登上王位后，勤政爱民，闽越势力逐渐强大。

先祖越王勾践卧薪尝胆的复国意志深深烙刻在子孙后代的心灵深

处，大越国复兴的信念时常回荡在闽越王郢的胸腔中，他时常憧憬横扫群雄、君临天下的光辉时刻。

闽越人是不会甘心久居人下的。他在韬光养晦，等待良机。

此番南越国新君甫立，政局不稳，好战的闽越王郢大展身手的时候终于到了！

汉武帝建元六年（公元前135年），郢发重兵攻打南越国。闽越军攻势凌厉，南越国军队抵抗不住洪流般的虎狼之师，像柔弱的羔羊一样被闽越军追来逐往，狼狈不堪。

消息传到南越王宫，南越文王赵昧面色苍白、束手无策，宫廷内乱作一团，人人寻求自保，大臣们纷纷聚于大殿。

朝臣商议对策后，分裂为两个阵营：一派主张依靠本国力量抵御外侮，另一派主张向汉朝求援，依靠汉朝力量消除外患。

赵昧权衡再三，决定遣使向汉朝求援："南越国和闽越国都是汉朝的藩臣，按照约定，本来是不能擅自兴兵相互攻伐的。现在闽越国兴兵侵伐南越国，作为臣子，我不敢兴兵征战，唯有请天子圣裁，一切按照天子的诏谕来办理。"求援书写得合情合理更合乎法统，且情真意切，因而汉武帝对赵昧的做法大家褒奖，称赞其忠于臣属之职。

南越国向汉朝求助，将祸水北引实属无奈之举，说到底是由于国势衰弱，即便侥幸能够抵抗闽越侵略，自己也势必元气大伤。

当此之时，汉朝饱尝分封割据之苦，早就想消除割据势力对朝廷的恶劣影响，只是限于国力才没有实质性举措。经历"文景之治"后，国力逐渐上升。到武帝在位时，汉朝国富民强，进入鼎盛时期。武帝雄才大略，正踌躇满志，谋划削藩方略。此番闽越国行不臣之举，南越国来朝请援，恰好给武帝提供了良机。于是，武帝派遣大行令王恢率军自豫章郡出发，大农令韩安国自会稽郡出发，水陆并进攻打闽越国。后来，又派严助率兵增援。

闽越王郢自恃力强，欲发重兵据险隘而抗汉军。大兵压境，闽越人震慑于强汉天威，惶恐不安，纷纷寻求自保之策。郢的弟弟余善私下与国相、宗族商议说：“我王擅自发兵攻击南越国，是不义之举，导致天子派兵来诛。汉军兵强马壮，即便我们现在侥幸战胜，随后汉朝定会继续增兵攻伐，闽越国危在旦夕呀。现在我们应该杀掉郢向汉朝谢罪。如果天子愿意受降，闽越国还能继续存在；如果天子誓灭闽越，我们就与他一决雌雄；如果我们战败，就逃亡入海。”国相和宗室人员觉得十分有道理，便支持余善发动政变。

余善发动政变十分顺利，在众人协助下用短矛刺死了闽越王郢，并将郢的人头装在木匣中献给尚未到达闽越国境的王恢。王恢见状，说：“闽越王郢穷兵黩武终致此祸。我们率大军前来的目的就是诛杀郢，现在郢的人头在此，你们也谢罪请降了，汉军不战而胜，真是一件可喜可贺的事情呀。”于是，王恢接受了余善的请降，一面命令军士不得擅自攻击，并派人告诉韩安国事情原委，另一面遣使捧郢的人头驰报天子。武帝对这个结果表示满意，便下令班师回朝。因无诸的孙子繇君丑在郢叛乱时不与之谋，汉武帝派遣郎中将前往闽越封其为新一代闽越王，奉闽越祖先祭祀。但在闽越国中，余善势力很大，且发动政变诛杀郢有功，人人畏惧，连丑都让他三分。武帝考虑到诸侯国尾大不掉会威胁到朝廷的有效控制，便决意将闽越国一分为二，改封丑为越繇王，封已自立为王的余善为东越王。东越王和越繇王竞相表示臣服汉朝，世代效忠汉朝天子。

王恢平息了郢的叛乱后，派番阳县令唐蒙出使南越国告知此事。后来，武帝又派遣中大夫严助前往南越国将汉朝对闽越国的处理结果告知赵眜。赵眜顿首涕零：“天子为臣兴兵讨伐闽越国，维护了南越国的安定，虽死无以报德，臣一定恪守节义，鞠躬尽瘁，死而后已。”严助要求赵眜一同进京朝拜武帝。赵眜称南越国刚刚遭受闽越国的侵伐，国弱民疲，需要花费时日富国安民，表示处理完国事后立即进京朝拜，还派遣太子赵婴齐随同严助北返。严助觉得赵眜的请求合情合理，便未加勉强，带着赵婴齐返回长安。途经淮南国领地，严助奉汉武帝之令，晓谕淮南王刘安平闽越之事，并嘉奖淮南国积极上书朝廷之举，刘安明白汉武帝是在向自己示威，便称赞皇帝圣明，自己没有皇帝那么有远见和气魄。

严助离去后，大臣们向赵眜进谏："汉朝发兵诛杀闽越王郢，不战而胜，威震天下，又派使者前来告知，并要求您去京城朝拜，这实际上是向我南越国示以恩威，警告我们务必谨奉臣节呀。先王曾经反复告诫，侍奉天子只要不失礼数，不行不臣之事即可，万万不能因为使者之言就去觐见天子。倘若被汉朝扣留，那就是亡国之势了。"赵眜觉得有理，便以生病为由，在位的十多年间始终未曾前往长安朝拜汉武帝。

鹬蚌相争，渔翁得利。

在闽越与南越之争中，汉武帝无疑是最大的赢家。

闽越国被一分为二，实力大为削弱，汉朝强化了对闽越故地的控制力和影响力，并对南越国造成极大震慑。

对于南越国来说，有得有失。得失相较，失多于得。

南越君臣遭逢外患，巧妙地将战火引向汉朝，化险为夷，而本国并未大伤元气。此为一得。南越国向汉朝表示衷心，受到汉朝君臣的褒奖，闽越国分裂，后遭丧乱，而南越国依然保持完整。这也算是一得。

请神容易送神难。汉朝劳师动众可不是出于所谓道义上的无私援助，而是汉帝国实现大一统的重要一步。

原本在赵佗时期，南越国保持高度自治，汉朝势力难以深入触及南越国内政。赵眜请援于汉，给汉朝将触角伸向南越国提供了千载难逢的机遇，之后汉朝对南越国事务插手颇多。

战争结束，曾经臣属于南越国的闽越国与之脱离关系，直接受制于汉朝，赵佗时代建立的南越与闽越之间的主从关系破裂，南越国实际上被孤立起来。严助使越，慑服南越君臣，太子赵婴齐长期宿卫长安，形同人质，为日后南越国内部纷扰埋下伏笔。可以说，南越国班汉师解闽越之患是"赶走豺狼迎来恶虎"。

经此一役，强汉盛名远扬，百越、西南夷等各个部落纷纷归附，汉朝内属的诸侯国尤其是淮南国慑于中央的威势而不敢轻举妄动，就连一贯视汉人如柔弱羔羊的匈奴对汉朝也不敢小觑。

二、无可奈何花落去：自大的夜郎也归汉

树倒猢狲散。赵佗缔造的一度强大的南越国已成过眼云烟，南越国再也无力控制周边附属国了。与闽越国一样，另一个曾经臣服于南越国的夜郎国也向汉朝俯首称臣了。南越国失去了左膀右臂，在与汉朝的对抗中更加力不从心。

闽越战火方息，南越文王赵眛长舒一口气：总算熬过来了。门外车乘已备，他吩咐前往寝宫休息，确实好长时间没有睡过安生觉了。众人正欲起身，宫门外嘶哑的声音像闪电般传来：边关告急，夜郎国发兵攻打我国边境！

惊闻此语，赵眛像被雷电击中一样浑身颤抖，瘫坐在地上。

连自大的夜郎也长出息了！

相传夜郎兴起于夏朝时期，历经武米夜郎、洛举夜郎、撒骂夜郎、金竹夜郎四个朝代，具有悠久的历史文化传统。到秦汉时期夜郎国已是一个拥有完备政权建置的国家，其统治中心大概在今日的贵州一带。据推测，夜郎国应该是一个奴隶制君长国。据《史记·西南夷列传》记载，汉代西南夷数十个君长国中，夜郎国势力最强大，拥兵十余万，纵横上千里。

在山高路险的西南夷，夜郎像一位隐居山林的处士一样长期默默无闻，享受着难得的宁静和安详。夜郎之名首次闻于世约在战国时期，据常璩《华阳国志·南中志》记载，楚襄王（公元前298年—前262年）曾派遣将军庄蹻溯水而上攻伐夜郎国，夜郎国投降楚国。这时人们才知道在楚国西南方存在一个夜郎国，史籍中才开始对其有零星记载。

西汉初年，夜郎国与汉朝并未有直接往来，而与南越国交往甚密。夜郎国与南越国山水相连，贸易频繁，一直维系着良好的双边关系。秦平百越后将中原先进生产技术引入岭南，加之岭南开发和对外贸易，南越国社会经济发展较快，缩小了与中原的经济文化差距。夜郎国与中原相对隔绝，中原先进技术和文化尚未大量传入，社会经济文化发展极受限制，因而比起南越国来显得弱小。两国发展程度虽有差异，但没有实质性的利害冲突。基于共同利益，两国在面对强汉时相互依存。这种形势催生了夜郎国与南越国的友好交往关系。

为营造良好的外部环境，南越国时常馈赠财物珍宝于夜郎国，使其倒向己方。吕后当权时汉越交恶，汉朝对南越国实行经济封锁，南越国依靠水路与夜郎国进行贸易，两国相互倚靠，关系越来越紧密。及诸吕被诛，汉军回师而赵佗趁势扬威边境时，夜郎国被南越国声威震慑，表示归附。夜郎国在一定程度上依附于南越国，但两国并非君臣、主仆关系，只是南越国以馈赠财物的方式来维系的松散联盟关系。自此，南越国在与夜郎国交往中处于优势地位，南越国为上国。通过夜郎，南越国的影响力西达桐师一带。

汉朝发兵平定闽越国叛乱后，鄱阳令唐蒙出使南越国晓谕汉朝对闽越国的处理事宜。

唐蒙出使南越国受到礼遇。南越人请他吃蜀郡特产枸酱。枸酱是南越国接待贵客的珍稀物品。唐蒙感到怪异，便追问枸酱如何从路途艰险的蜀郡运到南越。南越人据实相告，枸酱只有蜀地才有，蜀人私下将其运抵夜郎国销售，再经夜郎国境内的牂牁江顺流而下直达番禺，牂牁江江面宽百余米，足以行船。唐蒙无意中得知这一信息，如获至宝。汉朝早就想平定南越和西南夷，结束割据局面，只是道路不通，士卒和军需物资难以运抵前线，才暂且搁置。

唐蒙回去后，立即报告汉武帝这一重要情报。唐蒙认为，南越王乘坐皇屋车辇，僭越帝制，以皇帝身份发号施令，名义上为汉朝藩臣，实际上就是南越国的土皇帝，而今经由长沙国和豫章郡抵达南越国的水路被阻断，以汉朝的强盛，巴蜀的富饶，若能通使夜郎，设郡置吏，调动其十多万精兵，再经由蜀郡、夜郎经水路发奇兵进攻南越国，必能克敌制胜。

汉武帝批准了唐蒙的请求，任他为郎中将，带领千余士卒和大量粮草辎重出使夜郎国。智慧果敢的唐蒙一方面派人凿山铺路，打通从符关进入夜郎的通道，部署大军严阵以待；一方面派人以财物馈赠夜郎边境守吏和国中大臣，使他们甘心归附汉朝。事情办妥，唐蒙便率使团浩浩荡荡进入夜郎国，厚赐珍宝财物，游说夜郎王归附汉朝。夜郎王起初犹豫未决，听闻汉朝陈兵边境，又受到接受唐蒙贿赂的守吏和大臣鼓动，最终同意归附汉朝。于是，汉朝在夜郎北部小邑设置了犍为郡，还修筑了从巴蜀到夜郎的通道。班固在《汉书》中说："西南夷发于唐蒙"，充分肯定了唐蒙经略西南夷的首功。

夜郎王当然不是真心臣服的，毕竟在山高皇帝远的地方自立为王多么逍遥自在，谁会甘心做一个居于人下的臣子呢？

由于道路不畅，夜郎人孤陋寡闻，从未离开过故土去看看外面的世界，便以为自己的国家是天下最大的国家。某次，夜郎王与随从巡视国境，深感疆域辽阔，便问随从："普天之下哪个国家最大？"随从迎合他的心意，便说："当然是我们夜郎国最大喽！"走到一座高山前，夜郎王又问："天下还有比这更高的山吗？"随从回答："天下没有比这更高的山了！"走到一条河流处，夜郎王又问："天下还有比这更长的河流吗？"随从异口同声地说："天下没有比这更长的河流了！"夜郎王志得意满，从此便认为夜郎国最强大。

后来，汉朝又派使臣出使夜郎国。夜郎王竟然傲慢地问使者："汉朝与我夜郎国相比谁的领土辽阔？"使者一听，惊诧不已：一个小小的夜郎国居然不知天高地厚，竟敢与大汉相提并论。汉使对夜郎王说："大汉北至荒漠，南抵五岭，西逾天山，东达海滨，纵横万里，平野辽阔，山脉葱郁，江河奔腾，拥有数十个郡，而你们夜郎国只不过相当于大汉的一个郡而已。”夜郎王闻之哑然，自感不能与强汉相抗衡，便真心归顺了汉朝。

夜郎自大的典故实在是千古奇冤。据《史记》记载，夜郎自大的典故本来应荣归滇国。历史就是这样奇特，历史的误读也是历史文化传承的重要方式。

树倒猢狲散。赵佗缔造的一度强大的南越国已成过眼云烟，南越国再也无力控制周边附属国了。与闽越国一样，另一个曾经臣服于南越国的夜郎国也向汉朝俯首称臣了。南越国失去了左膀右臂，在与汉朝的对抗中更加力不从心。

汉朝推行大一统方略势在必行，并一步步接近目标，夜郎国不自觉地为大一统巨轮增添了助力，西瓯、骆越等部族也纷纷归汉。可怜的南越国被彻底孤立起来了。

眼见强邻环伺，属国背叛，却又无计可施，真可谓“无可奈何花落去”。

赵眜的心情无疑是沮丧的，他甚至连召集群臣商议对策的心情都没有了，因为他知道而今国力衰弱，无论作何挣扎都无济于事，不如行闲云野鹤之事，听天由命罢了。

三、君子报仇十年不晚：宿敌长沙国仗势欺人

长沙国南临南越国，边界关系、民族关系都很复杂，与南越国时战时和。在某种意义上来说，长沙国是汉朝与南越国和平时期互相联系的纽带，战争时期双方的军事缓冲地。

然而不久之后，宿敌长沙国开始猛烈攻打边境城邑！

赵眜惊悚而起，继而无奈地喘息着：强邻环伺，如之奈何？

在秦汉之际纷繁复杂的政治格局中，百越族涌现出一批风流人物，

长沙王吴芮便是百越族政治新星中的杰出代表。

吴芮世出名门，是春秋时期吴王夫差的第五世孙，其父吴申曾任楚国大司马。在重视出身门第的秦汉时期，这成为吴芮登上历史舞台的巨大政治资本。

青年时代的吴芮酷爱舞枪弄棒、排兵布阵，经常研究《孙子兵法》和《吴起兵法》，并带领吴氏宗族子弟演练阵法。但吴芮绝非一介武夫，他从小接受良好的家庭教育，深谙治国安邦、统驭百姓的谋略，还身体力行参与各种农猎活动，深入了解民间疾苦。

秦始皇统一六国后，在全国推行郡县制。故楚遗民吴芮被任命为江西首县番县县令。

秦朝立国思想多源于法家，刑罚严苛。历史上，为秦效力的功臣良将难得善终，商鞅车裂、韩非囚秦、不韦迁蜀、白起赐死、蒙恬被诛、李斯受戮。与各级贪戾官员不同的是，吴芮深知行刚猛之政必将引来祸端，他反对强征暴敛、轻视民生，在其辖地广施仁爱、轻徭薄赋，此举深得民心，被百越之民尊称为“番君”。南宋学者王十朋凭吊吴芮故居时写有《游五彩山》一诗：

吴芮当年生此山，此山彩色锦官城。
如今不爱繁华地，松林森森一青青。
吴芮初为番邑令，深得民心尊番君。

身为流浪的没落王族后裔，吴芮了解社会底层人民生活的疾苦。他在扩张势力范围的过程中，反对强权和黑恶势力，要求军队“以战止战”，帮助人民安居乐业。他在军队里培养有大批懂得各种生产技术的人才，每到一处，就帮助当地兴修水利，发展生产，百越之民心多归附。当吴芮积蓄力量之时，江南豪杰纷纷投其麾下。吴芮声势大振，成为南方地区名副其实的百越首领。

陈胜、吴广起义后，吴芮加入了反抗暴秦的洪流之中。他以番县吏卒为主力，赦免所辖地的刑徒并将其武装起来，又广泛征发青壮年劳动力编入军队，很快就发展成为活跃于百越的一支重要抗秦武装。

吴芮起初归附项羽，后结识韩国贵族张良，转而投向刘邦。刘邦称帝后，吴芮得以封地长沙国。吴芮深知鸟尽弓藏、兔死狗烹的道理，在张良的建议下行事低调，主动示弱，还将自己大部分封地让给刘邦的宗族子弟，最终得以免遭屠戮、独享天年。诚如宋人华镇所言“国虽为地小，忠亦自天成。兴亡何足道，青竹有嘉声。”

长沙国南临南越国，边界关系、民族关系都很复杂，与南越国时战时和，在某种意义上来说，长沙国是汉朝与南越国和平时期互相联系的纽带，战争时期双方的军事缓冲地。

刘邦分封吴芮为长沙王时故意耍了一把“以越制越”的心计，将汉朝势力尚未达到的岭南三郡也封赏给吴芮，而当时南海郡、象郡、桂林郡为南越王赵佗占据，这就为长沙国和南越国的关系埋下了隐患。

事实证明，吴芮的确是汉朝防止赵佗北上的最佳人选。由于长沙国遥控南越国的岭南三郡，因此从一开始长沙国就与南越国处于敌对的态势。吴芮在就国一年后便英年早逝，但赵佗对长沙国的猜疑始终没有消除，两国紧张局势始终没有得到有效改善。吕后称制时下令关闭边市，禁止向南越国出售铁器，实际并非长沙国从中作梗，但由于两国宿怨已深，赵佗便想当然地将罪责推到长沙王身上。

汉越交恶，受害最大的是长沙国。汉朝大军长期驻扎长沙国，长沙国背上沉重的经济负担，还要就地征发大量役夫参与后勤补给。赵佗率南越军侵扰长沙国边邑，城垣遭毁弃，良田遭践踏，百姓流离，生灵涂炭。本来实力若小的长沙国元气大伤，既要臣服于汉朝，又不敢轻易向南越国迈进一步。

汉越重新修好后，汉朝委派两位将军率兵驻防长沙国，以监视南越国的一举一动。长沙国成为汉朝防范南越国的前沿岗哨，一旦有风吹草动，长沙国就要遭殃，真是一个无辜可怜的角色。两国关系的好坏完全取决于汉朝与南越国关系的好坏。

闽越进犯南越遭汉朝平定后，汉朝对南越国开始实施铁腕政策，长沙国与南越国的关系自然紧张起来。当夜郎国等西南夷小国也臣服汉朝时，长沙国深深感到汉朝将要对南越国下狠手，报仇的机会到了。

君子报仇，十年不晚。当年，南越军在长沙国边境攻城拔寨、烧杀抢掠的罪行是该到了清算的时候了。

仰仗汉朝的天威，长期作为马前卒的长沙国摩拳擦掌、跃跃欲试。

长沙国不仅发兵攻袭南越国边境城邑，还积极筹措军需粮饷，协助汉朝经略西南夷，在战略要地修城筑堡，增加军事据点，很有大干一番的气概。

经过这一番一惊一乍，赵眛只是唉声叹气，也不做什么部署。英雄气短，一切听天由命吧。

此后，无论再遇到什么边关告急的军情，赵眛都显得出奇的平静。

这位在位达 16 年之久的南越王长期患病，性情柔弱，在政治上无甚建树，终于在汉武帝元狩元年（公元前 122 年）去世，留给子孙的是一个千疮百孔、险象环生的烂摊子。

第九章

废长立幼：明王赵婴齐的倒行逆施

宿卫汉廷十二年，如今就要回去了。回到哪里?

赵婴齐回到南越国，眼见秋风萧瑟、万物凋零、民贫地荒，虫鸟哀号如鸿鹄之鸣而入寥廓，一切都显得那么悲怆凄凉，一切都显得那么毫无生机。

面对如变戏法一般的大起大落，赵婴齐已经回不到原来的自己，连糟糠之妻和亲生骨肉都被弃若草芥。

屠戮成为人生一大快事，王国的元气消耗于无形，可怕的事情来临了!

一、暴戾恣睢：当杀人成为一种享受

承继大统的仪式异常的顺利，未引起任何波澜，似乎没有人对王位有觊觎之心，所有人都显得那么有气无力。

当杀人成为一种享受，杀人者必将遭受天谴，这个政权的合法性自然就会被撼动了。

南越国依然是汉朝的属国，却再也不具备与汉朝叫板的资本了！

似乎只有事事求告汉朝，南越国才可以苟延残喘。

一封文书落到汉武帝刘彻御案前：南越王赵眜病危。

武帝抬头思索了一会儿，脑海中闪现出一个解决南越国问题的方略，旋即批下处理意见，是时候让质子赵婴齐回去了！

宿卫汉廷十二年，如今就要回去了。回到哪里？

赵婴齐回到南越国，眼见秋风萧瑟、万物凋零、民贫地荒，虫鸟哀号如鸿鹄之鸣而入寥廓，一切都显得那么悲怆凄凉，一切都显得那么毫无生机。

公元前122年，赵眜终于离开了这个与他没有什么关系的世界。

南越文王赵眜的匆匆离去并未在南越国内引起多大波澜，似乎一切都很平静，连发丧的人都表现得若无其事、无精打采，毕竟，他不像祖父赵佗那样神文圣武，主宰着这个国度。赵眜只是一个可有可无的人，是一个不自觉地坐在王位上的躯体。他能高居宝座不是因为他的英明果敢，而只是因为他是赵佗的孙子，仅此而已。他在位期间，南越国没有任何起色，反倒在风雨摧残中愈加衰弱不堪、奄奄一息了。

赵婴齐即位，是为南越明王。

承继大统的仪式异常顺利，未引起任何波澜，似乎没有人对王位有觊觎之心，所有人都显得那么有气无力。

群臣朝贺，也都在做些表面文章，每个人心里都在揣度着新王的脾气、性情和即位后的作为，毕竟时隔十二年，大臣们都快认不出这位曾经的太子了。

宫殿内冷冷清清，离别南越十二载，这里早已物是人非，满朝文武没有几个能叫上名字的，赵婴齐感到十分孤独落寞。

新王上任三把火。可赵婴齐的第一把火把大臣们都烧糊涂了。

自赵佗开始，南越王在遣使朝拜汉朝天子时才自称藩臣，在国内依然称皇帝，行天子之事，即便孱弱的赵眜也是这么做的。赵婴齐即位后第一件大事就是自动废掉赵佗、赵眜在位时所称的帝号，在国中只称国王，还将先帝的玉玺藏于国库中，不再使用。真可谓“人穷志短，马瘦毛长”。

群臣见状，唏嘘不已，对南越重振国威不再报有任何希望。

赵婴齐与历代南越王一样，名义上向汉称臣但长期称病不朝，只派儿子赵次公前往长安担任宿卫。

赵婴齐是一个暴戾恣睢、滥杀无辜、挥霍无度的君主。

为了尽享荣华富贵，他制定名目繁多的苛捐杂税，强行摊派给南越国人民。本已十分穷困的南越国民还要使出全身解数满足他的挥霍欲望。他还在王宫大兴土木，征派徭役，奴役各族人民，以显示自己的赫赫神威。人民敢怒不敢言，忠臣有胆敢上书规劝者皆被斩首灭族。

南越国一直因无力有效控制边区少数民族部落而实行民族自治政策，这样至少在形式上可以维持南越国的完整。赵婴齐即位以来，对边区少数民族部落横征暴敛，贬抑部族领袖，导致边区部落纷纷脱离南越国统治，而南越国也无力对其征伐，只得听之任之。

赵婴齐长期深居宫禁，沉湎声色，荒淫无度。即便如此，他还是觉得不够过瘾，人生没有激情，生活缺乏乐趣，便整日思索各种方法寻欢作乐，极尽泯灭人性之能事，后来甚至发展到杀人取乐。起初，他总是借故残杀奴婢、侍臣，每日都有尸体被抬出宫外。后来觉得这样杀人也很无趣，便发明各种酷刑，割鼻、刺面、挖目、卸肢、焚尸等，原先被汉朝废除的一些酷刑也重新施用。每到施刑，哀声狂叫传遍宫廷，令人毛骨悚然，而他却拍手称快，不亦乐乎。

赵婴齐觉得残杀宫人还是不够刺激，便把屠刀转向朝臣。每当朝臣议事，一言不合，便喝令推出斩首，甚至不动声色的朝臣也因看不顺眼被强扭出去斩首示众。

伴君如伴虎。一时间，人人自危，群臣都在祈祷自己不要脑袋搬家。

对赵婴齐的愚蠢妄行，朝野上下极其失望，举国百姓怨声载道。

当杀人成为一种享受，杀人者必将遭受天谴，这个政权的合法性自然就会受到撼动了。

屠戮成为人生一大快事，王国的元气消耗于无形，可怕的事情来临了！

二、舍长立幼：骨肉相残的致命败笔

亲兄弟素无恩怨，却斗得你死我活。他们的粉墨登场和狼狈结局皆非其所愿，也非其所能左右。他们都是可悲的木偶。隐藏在他们幕后的眼睛都在盯着什么？

早在随严助去长安为质前，赵婴齐就在南越国迎娶了揭阳橙姓越族女子为妻，并育有一子名曰赵建德。

在赵婴齐宿卫长安期间，汉武帝为了加强对南越国的控制，明知赵婴齐在南越国已经娶妻生子，还特意赏赐给赵婴齐几位汉人女子，其中邯郸樛氏最得宠爱，为赵婴齐生下两个儿子：赵兴和赵次公（二子孰长孰幼尚有争议）。

赵婴齐南归，樛氏和两个儿子得以随行。这为南越国覆亡埋下了伏笔。

面对如变戏法一般的大起大落，赵婴齐已经回不到原来的自己，连糟糠之妻和亲生骨肉都被弃若草芥。

由于赵婴齐即位时已近暮年，册立王储一事自然被提到议事日程。

当时朝臣对立谁为王储并未有太大争议。赵婴齐有三位儿子，即长子赵建德，为越女橙氏所生；赵兴、赵次公都是汉女樛氏所生。

公允地说，赵建德当立王储。

按照中原汉制，王位当由赵建德继承，这符合嫡长子继承制的礼法，本不应该有任何异议。

再者，长子赵建德长期生活在南越国，对朝政和民情都有较为深入的了解。由他继承王位，能够较好地把控局势。

赵建德宅心仁厚，对赵婴齐能恪守臣节，能团结朝臣，未有任何失德不恭之处，不宜随意舍弃。

还有非常重要的一点是，赵建德是赵婴齐与越女橙氏所生。橙氏家族在南越国中拥有强大的势力，与同是越人的吕嘉家族结交深厚，在越人心目中具有崇高的威望。若擅行废立之事，势必引起越人离心离德。

反观赵兴和赵次公。

汉武帝屡次派使者出使南越国，婉转劝告赵婴齐到长安朝拜。赵婴齐惧怕进京后汉武帝会趁势扣留，比照内地诸侯执行削藩法令，遂托病不朝，只派遣儿子赵次公宿卫长安，与当年赵眛派遣赵婴齐到长安为质的情形一样。赵次公长期居于长安，因而丧失了与赵建德、赵兴争夺王储之位的资格和机遇。

赵次公入汉为质后，赵兴便成为樛氏的重点培养对象。赵婴齐客居长安十二载，作为人质自然心里不好受，是樛氏一直贴身陪伴，二人感情深厚。樛氏是汉武帝赏赐的姬妾，有汉朝作为坚实后盾，因而，赵兴被立为王储的胜算也很大。

赵婴齐属意立赵兴为王储，但以丞相吕嘉为首的朝臣多主张立赵建德为王储。君臣之间闹得不可开交。赵婴齐虽然残暴，但对丞相吕嘉的势力还是相当敬惮的，因而将寻求支持的视线转向了宗主国汉朝。赵婴齐上书汉武帝请求立樛氏为王后，赵兴为太子。这种局面正是汉武帝想看到的，因而欣然同意，赵婴齐如愿以偿。

汉朝出面力挺赵婴齐，群臣也无可奈何，只得承认赵兴是太子。赵建德只被封为术阳侯。

自此兄弟反目成仇。本是同根生，相煎何太急？

亲兄弟素无恩怨，却斗得你死我活。他们的粉墨登场和狼狈结局皆非其所愿，也非其所能左右。他们都是可悲的木偶。隐藏在他们幕后的眼睛都在盯着什么？

赵婴齐舍长立幼，犯了大忌，惹得天怒人怨。朝臣们十分不满，暗自与赵婴齐较劲，对樛氏母子并不依附。

自此，孤独地守望赵婴齐十二年之久的原配橙氏更加被冷落，赵建德也处在十分尴尬的境地。

儿子被立为太子，自己被立为王后，樛氏志得意满，愈加骄横，根本不把群臣放在眼里。

樛氏在南越国生活时间一长，关于樛氏的往事也就自然而然地被人谈及。

原来，出身邯郸富室的樛氏在嫁给赵婴齐之前，曾经与汉朝官员安国少季有一段恋情，并且失身，赵兴是不是赵婴齐的骨肉都成了问题。群臣得知这一情况，认为这是汉武帝的阴谋，更加怒不可遏，对樛氏和赵兴更加不满。

赵佗的子孙们显然没有继承他的优良基因，既不及其长寿，又不及其勇武。伴随着王国的哀号和王室的喧嚣，不肖子孙们个个战战兢兢，疲于奔命，在令人窒息的夹缝中因循固守，苟延残喘。

汉武帝元鼎二年（公元前 115 年），赵婴齐病死，汉朝封他“南越明王”的谥号。赵婴齐死后未得安宁。三国时期，孙权派遣吴瑜到番禺挖掘赵佗墓，歪打正着，掘开了南越明王赵婴齐的墓室，盗取玉玺、金印 36 枚，铜剑 3 柄以及大量珠宝、玉匣、黄金饰品等。

赵婴齐死后，太子赵兴即位，是为南越哀王，樛氏成为南越国的太后。

南越国政局令人窒息，各派势力纷纷由暗及明，粉墨登场，争夺政权的斗争更加激烈，一场祸乱即将爆发。

第十章

日薄西山：哀王赵兴和厉王赵建德的悲苦人生

内属与外藩，没有孰对孰错，只是立场不同，所要维护的利益不同以及维护利益的方式不同而已。

赵建德和吕嘉见大势已去，便在重兵护卫下趁乱杀出一条血路逃出城门，向东逃窜。路博德从被俘获的南越贵族那里得知吕嘉和赵建德已经在城破之前趁乱逃走，便通令缉拿吕嘉和赵建德。

南越古国悄然陨落，只留几片飘着淡淡清香的花瓣印在汉朝的史书上，留给后人无限的遐想。

一、孰是孰非："内属"与"外藩"之争

围绕内属和外藩问题，暗中较劲的各种势力纷纷浮出水面，朝野上下暗藏杀机。

大臣们心里都闷着一口气：难道就甘心让这个不明不白的樛氏一手遮天？难道真的要把关乎南越各族人民切身利益的政权拱手让给这个年幼无知的赵兴？

赵婴齐在世时，朝臣们慑于王权的威严尚不敢发难。而今赵婴齐已死，清算的时候该到了吧。

赵兴在汉朝支持下由太子承继大统，虽未引起多大波澜，但朝臣们都在打着自己的如意算盘。

此时的赵兴尚年轻，樛太后是中原人，在南越国的根基很浅。南越国的军政实权掌握在丞相吕嘉手中。

吕嘉德高望重、深谋远虑，是越人，在南越国素有崇高威望。在赵佗时期，吕嘉就深受器重，是南越国政权中越人的代表。从赵眜、赵婴齐一直到赵兴，吕嘉一直担任丞相，他的宗族进入南越政权者有七十余人，还与南越王室和苍梧王赵光联姻，吕氏势力盘根错节，耳目众多，门生故吏遍布全国，其势力充斥着南越国权力机构的每一个角落，一时难以撼动。在南越国，吕嘉的威望超过赵兴，是南越国的实际掌权者，只要他首倡谋事，众臣定会纷纷附和，百姓定会言听计从。

赵婴齐死后，王权与相权之间的矛盾愈演愈烈，没有任何缓冲余地了。朝堂之上，君臣之间明争暗斗；江湖之中，王权、相权你争我夺。南越国政局愈加动荡，国力愈加衰弱。

此时的汉朝进入鼎盛时期，汉武帝初平匈奴后试图将汉朝势力伸向名为藩属之臣实为独立王国的南越国。

元鼎四年（公元前 113 年），汉武帝派遣安国少季、辩士谏大夫终军、勇士魏臣等出使南越国，告谕赵兴和樛太后，让他们比照内地诸侯进京朝拜天子，行汉朝律法，内属汉朝，以后定制三年一朝，并拆除边境要塞。与此同时，又令卫尉路博德屯驻桂阳，接应汉使，在军事上对南越国造成威慑之势，迫使其屈服。

这种恩威并用的试探性举动是汉武帝的一招妙棋，确实收到了良好效果。

安国少季，灞陵人，素有才情，早年与樛太后有私情。当初二人是自由恋爱，情到深处便立下山盟海誓，表示今生今世绝不分离，但可怕的封建礼教像一把残酷的剪刀将二人硬生生地分开。赵婴齐看上了樛氏，汉武帝为国家大计将其赐婚于赵婴齐。关乎国运兴衰，迫于君父之命，樛氏与安国少季便分开了，但感情依然浓烈。或许正是因为这一原因他才被汉武帝选派为此次出使南越国的首席大使。

终军，济南人，颇富才情和气魄。终军少年时代刻苦好学，以博闻强记、能言善辩、文笔优美闻名于郡中。

终军十八岁时被举荐为博士弟子远赴京师。过函谷关时，守关吏卒交给他一件帛制的“繻”，终军起初不认识此为何物，便不接受。守关吏卒告诉他这是一个初入关卡的凭证，他慨然掷之于地，自信地说：“大丈夫西游，终不复还。”守关吏卒为之瞠目结舌。到长安后，终军以上书称旨官拜谒者给事中，奉命巡视东方诸郡国。他手持朝廷符节，骑高头大马，再过函谷关时，守关吏卒认出此人正是前次弃“繻”的少年，叹服其志远才高、气魄非凡。

少年得志的终军颇具外交才能。他曾出使匈奴，画吉凶于单于之前，圆满完成使命。此番出使南越国，群臣皆知凶多吉少，多推辞不往。终军豪气冲天，主动请缨，表示“愿受长缨，必羁南越王而致之阙下”。汉武帝叹服，便令终军随使团南下。此时终军只有二十岁。

在南越国期间，终军审时度势，时刻保持清醒头脑，力图以在手之“长缨”锁住南越王这只“苍龙”。“初唐四杰”之一的王勃在《滕王阁序》中说“无路请缨，等终军之弱冠”就是借用终军请缨的典故。

魏臣，汉朝著名勇士，膂力过人，身怀绝技，且为人机警，是天生的贴身保镖。

路博德，西河平州人，西汉名将，曾跟随霍去病北征匈奴，立下赫赫战功，平定南越后累功被拜为伏波将军，是有史可考的第一位伏波将军。

安国少季、终军、魏臣、路博德，这是一个阵容强大的组合！

汉使在南越国受到隆重欢迎，君臣对其礼遇有加，事情起初进展异常顺利。

樛太后本是汉武帝的一颗棋子，心向汉朝，赵兴长期生活在汉朝，且此时年幼寡知，自然禁不住汉使的威逼利诱，遂采纳汉使的建议，决计收拾行装，准备进京朝拜。

樛太后和赵兴长期悬着的石头落了地，以强汉做后盾，自己在南越国就不会这么尴尬了。

安国少季见大势已定，便私会老情人。

一切都似乎是冥冥之中注定的一般，一别多年，日日夜夜朝思暮想的恋人即将私会，心情是何等的忐忑和兴奋。

樛太后借口商议国事密诏安国少季进入后宫行苟且之事，魂牵梦绕的时刻终于再次降临在两个昔日情侣身上，一切都是那么的妙不可言、美不胜收。所不同的是，此时两人已经不是当初的懵懂少年，而是担负着重大历史抉择的人物，一个是大汉特使，一个是南越国太后。

安国少季春风得意，眼看不费吹灰之力就把南越国的事情摆平了，又见到了昔日情人，一扫相思之苦，不免心中暗喜。

征得樛太后和南越王的同意，汉使立即奏报汉武帝，说事情进展很顺利，太后和南越王恨不得马上入朝，不日即抵达长安。汉武帝接到奏报非常高兴，没想到不动干戈就能解决盘踞岭南多年的南越国问题，遂嘉奖安国少季一行，还下诏封赏南越国君臣，准备南越王入朝事宜。

汉武帝赐予丞相吕嘉银印，还将内史、中尉、大傅等官印赐给南越国，其余的官职由南越国自行安排，还让南越国比照内地诸侯使用汉朝法律，废除南越国以前的黥刑和劓刑，命使者留下来镇抚南越。在接到汉武帝的谕旨后，南越王及王太后十分高兴，开始打点行装，搜罗珍奇异宝，为进京朝见天子做准备。

然而，他们的如意算盘落空了，事情没有他们想象的那么简单。

樛太后和赵兴根本主导不了南越国的走向，丞相吕嘉不发话，任何人做的任何事情都是无效的。

安国少季显然没有清醒地意识到这一点，对樛太后的提醒也没有足够重视。

汉使到达南越国，吕嘉出于礼数予以隆重接待，但心里非常明白汉使此行的目的，不禁在心里盘算如何应对。

在对待南越国与汉朝的关系上，吕嘉为南越国和岭南各族百姓的切身利益着想，主张与汉朝改善关系，而不是囿于一己之私。赵佗臣汉时，吕嘉也出力不少。汉越修好，吕嘉功不可没。在汉越关系定位上，吕嘉并不主张南越国强势对抗汉朝，也不主张如长沙国那样受汉朝天子节制，而是名义上臣属汉朝，做汉朝的“外藩之国”。

汉朝要求南越国内属不是此时才开始的，早在赵眜时期就有人提出内属事宜，只是时机尚不成熟，便被搁置一旁。吕嘉向来强烈反对南越国内属汉朝，多次劝谏赵兴，但赵兴一直不听，吕嘉十分恼火。

当汉使诏谕南越国比照内地诸侯内属汉朝时，吕嘉表现出十分反感的态度，拒不拜见汉使，也不承认樛太后和赵兴同意内属的意见。后来，吕嘉查探出樛太后与安国少季私通之事，更加怒不可遏，干脆不上朝，暗中积蓄力量。众臣见吕嘉罢朝，议论纷纷，揣测其中缘由，也不敢上书言事、建言献策，一时间，朝堂哗然。的确，没有吕嘉的首肯，南越国许多事情确实无法操办。吕嘉宗族、党徒、门生故吏四处散布樛太后与汉使私通的传言，暗示赵兴不是赵婴齐骨肉，南越国内属汉朝是汉朝天子的一个惊天阴谋。

南越朝臣百姓本来就对赵婴齐舍长立幼不满，同情赵建德而反感樛太后和赵兴，经过吕嘉的鼓动，南越朝野上下更加不信任樛太后和赵兴。樛太后和赵兴处境更加尴尬，为防止内乱威胁到切身利益，他们加紧与汉使商讨内属事宜，希望汉朝直接干预。

内属还是外藩？这是一个问题。这一问题处理是否得当，关系着南越国的前途命运。

围绕内属和外藩问题，暗中较劲的各种势力纷纷浮出水面，朝野上下暗藏杀机。

吕嘉集团磨刀霍霍，正寻觅良机。

樛太后觉察到吕嘉的活动，因手中无兵，决计联合汉使先发制人。

擒贼先擒王，若能斩杀吕嘉，反抗势力自然群龙无首，在汉朝天威下势必屈服。不得不说，这是一剂猛药。

双方剑拔弩张，形势更加令人窒息，内乱一触即发。

某日，樛太后一反常态，派人恭恭敬敬地来到丞相府表彰吕嘉对南越国诸位君主的忠诚，还赏赐了大量珍玩异宝，并表示将借在宫中设宴款待汉朝使团之际，向汉使公开表彰吕嘉的功绩。

吕嘉毕竟是三朝元老，什么大风大浪没有见过，他一眼就识穿了樛太后的阴谋诡计。然而，汉朝遣使，按照惯例，南越国作为藩国，高级官吏理应参与宴请。吕嘉决定按约赴宴，为防不测，令其弟弟以保护汉使的名义带兵守在宫外。

这是南越国版本的"鸿门宴"。

宴席之上，汉使向东而坐，樛太后向南而坐，赵兴向北而坐，吕嘉和大臣们皆向西而坐，与汉使照面。

酒过三巡，樛太后并未像先前承诺的那样在汉使面前表彰吕嘉的功勋，而是故意刁难吕嘉，说："南越国归顺汉朝，这是国家的根本利益，你身为丞相，为什么要屡屡加以阻挠呢？"吕嘉见樛太后发难，不紧不慢地回答："我侍奉赵氏三代君王，历来主张归顺汉朝，从未加以阻挠呀！"他巧妙地向汉使表达了自己三朝元老的身份，并表明自己主张臣汉，而闭口不论"内属"和"外藩"之别。樛太后见一计不成，便厉声斥责其不臣之举，历数其欺君罔上、拥兵自重、冥顽不化的事情，暗示汉使吕嘉是越人，怀有异心，不愿意归属汉朝，试图以此激怒吕嘉，再借口其对汉使不恭而除掉他。然而，吕嘉异常平静，没有任何不恭之举，樛太后和汉使找不到借口。更为重要的是，吕嘉的弟弟正率兵守在宫门之外，樛太后和汉使交换眼色，但安国少季等犹豫不决，几位使者面面相觑，没敢动手。吕嘉见势不妙，立即起身，请求去茅厕。樛太后按捺不住心中熊熊燃烧的怒火，亲自抓起一杆长矛准备刺向吕嘉，但是赵兴不想事态扩大，出来阻拦，长矛未能掷出。吕嘉假装去茅厕，趁势闪出宫门。樛太后怒气未消，欲派宫廷侍卫前往丞相府斩杀吕嘉，最终在赵兴和汉使的劝解下快快作罢。宴席不欢而散，各种矛盾都被激起。

经此一劫，吕嘉意识到与樛太后的关系已经没有任何回旋余地了。吕嘉回府后，急忙将其弟弟的兵士分拨出来一部分安排到自己的住处，加强丞相府的防卫，并托病不再去见樛太后、赵兴和汉使，还暗中与大臣们密谋，准备反击。

其实，吕嘉对年少的赵兴并未十分生气，只是为本该即位称王的赵建德抱不平。赵兴一向无意杀掉吕嘉，吕嘉自己也清楚这一点，宴会上赵兴出面阻拦樛太后也说明了这一点。随后的数月里，吕嘉并未采取行动诛除樛太后和赵兴，可能是由于准备不足，也可能是念及赵兴的无辜吧。

樛太后视吕嘉为眼中钉、肉中刺，必欲除之而后快，但她势单力薄，在南越国朝野上下又不得人心，没有能力独立完成此事，只得求助于汉朝使团。樛太后与汉使关系越亲近，便越得不到朝臣的拥护。

双方虽未动手，但关系已经公开破裂。一场更大的纷乱即将上演。

内属与外藩，没有孰对孰错，只是立场不同，所要维护的利益不同以及维护利益的方式不同而已。

安国少季等人执行汉朝的大一统方略，是功在当代利在千秋的宏伟大业。

位居显位而无实权的樛太后和赵兴虽出于保护既得利益的需要同意内属，是人之常情，但客观上顺应了大一统的趋势。

经过几轮较量，南越国上层已是杀气腾腾，整个国家危机四伏，面临生死存亡的紧急关头。

二、轻敌遇挫：南越国不容小觑

殊不知这是吕嘉诱敌深入之计，韩千秋、樛乐的死期就要到了。吕

嘉用关门打狗的战术，在距离番禺四十里的地方，突发奇兵，围歼韩千秋、樛乐，汉军全军覆没。

吕嘉与樛太后彻底对立起来，但对汉朝使团并没有不恭之举。鉴于其手握军政大权，安国少季等人并未对其采取过激行为，只是将情况报告给汉武帝。就这样，南越国又苟延残喘了半年之久。

汉武帝得知南越国的情况后，对事态的严重性估计不足，以为只是安国少季等人处理不当造成南越国君臣之间离心离德，遂严厉斥责安国少季胆怯无能，敦促他迅速解决南越国问题。另一方面，汉武帝没有充分意识到吕嘉在南越国的分量，以为樛太后和赵兴已经归附汉朝，唯独一位臣子阻挠，并无大碍，不值得兴师动众。

汉武帝欲派遣庄参带领两千士卒前往南越国平息事态。庄参是个心思缜密的人，提醒汉武帝说："陛下若要和平解决争端，只需派遣几位使者即可；若要武力解决争端，给我两千人岂不是让我去赴死？"汉武帝不听，罢免了庄参。

曾做过济北相的韩千秋不知深浅，自恃处理封国事宜比较娴熟，忽视了南越国的特殊性，便口出狂言："区区一个南越国，又有国王和太后做内应，仅丞相吕嘉为害而已。给我三百汉家勇士，我定斩杀吕嘉还报！"汉武帝是一个狂野的人，十分欣赏口出狂言之辈，后来在《茂才求异等诏》中说"盖有非常之功，必待非常之人"就反映出了他的这一性情。面对韩千秋这样的"非常之人"，何愁不能建立"非常之功"？于是，汉武帝命韩千秋和樛太后的弟弟樛乐带领两千士卒前往南越国平息事端。

韩千秋确实是英勇谋略之辈，在任济北相时确实建立过卓越的功勋，可是这一次他的判断失误了。

此时吕嘉正密切注视着汉朝方面的动向。

汉武帝元鼎五年（公元前 112 年），韩千秋和樛乐刚踏上南越国土，双方僵持已久的局面就被打破了。

箭在弦上，不得不发，不是你死，就是我活。这就是历史变局下的人性。

面对不利形势，吕嘉十分沉着。他立即召集宗族子弟、门生故吏和一些依附他的朝臣商议："汉朝派大军前来征讨，必是淫后串通汉使所为。汉兵此次到我南越，是要灭我宗祠、毁我社稷啊。我们能束手就擒吗？"经过吕嘉的战前动员，大家纷纷附和，表示了誓死血战的决心。吕嘉的弟弟是一介武夫，一听此言，不禁火冒三丈，恨不得立即取下樛太后的狗头，但被吕嘉安抚了下来。

得知韩千秋、樛乐已经攻克边境要塞，汉越战争正式打响，吕嘉即刻发难。

首先，他广造舆论，称赵兴本不该即位，无治国韬略；揭露樛太后与汉使安国少季私通，是汉朝派来的奸细，只为一己之私，根本没有顾及南越政权和南越百姓的安危祸福；还指出汉朝毁弃南越国社稷、将南越国民贩卖到汉朝做奴隶的罪恶企图，举起了抗汉的大旗。

之后，他和弟弟率兵进攻王宫，宫中未曾防备，很快被突入。当时樛太后和安国少季正并坐私谈，一见全副武装的士兵蜂拥而至，顿时吓破了胆，很快身首异处。随后，士兵寻觅到赵兴，将其斩杀。一不做二不休，吕嘉兄弟又率兵猛攻汉使馆驿。魏臣虽孔武有力，然而双手不敌四拳，终被乱刀砍杀，天才的外交家终军年仅二十，也遭遇此祸。

杀掉了樛太后、赵兴和汉朝使者后，吕嘉拥立赵婴齐与越女橙氏所生长子术阳侯赵建德为南越王，是为南越厉王，又称南越靖王或南越末王。

政变进展非常顺利，吕嘉派人告知苍梧王赵光和各郡县官员事情原委，以争取他们的支持。

面对汉军进攻，吕嘉以新任南越王名义向全国发出动员令，号召各地出兵勤王，共同抗击汉朝。

北部边境烽烟四起，韩千秋和樛乐所率之军一路所向披靡，不费工夫就快要打到首都番禺，便认为南越军不过是一群乌合之众，不堪一击，因而愈加骄横。

殊不知这是吕嘉诱敌深入之计，韩千秋、樛乐的死期就要到了。吕嘉用关门打狗的战术，在距离番禺四十里的地方，突发奇兵，围歼韩千秋、樛乐，汉军全军覆没。

吕嘉并不想与汉朝结怨，又担心汉朝决心灭亡南越国，便做了两手准备。一方面，他派人将汉朝使者的符节用木匣装好封存，放置在边塞上，还修书一封向汉朝谢罪，阐明事情原委，表明自己无意与汉朝作对，南越国仍然愿意做汉朝的藩国，但言辞骄慢，字里行间闪烁着对汉军的不屑。另一方面，他加紧调兵遣将，部署重兵把守要害地方，时刻关注汉朝动向。

苍梧王赵光听闻吕嘉在都城发动政变，起初惊愕，继而拍手称快。赵光和吕嘉几代联姻，形同一家，且赵光十分同情赵建德，反对从中原来的樛太后和赵兴，因而同意与吕嘉联合抗击汉朝。地方郡县官吏见风使舵，纷纷表示效忠新君赵建德。

三、天威震怒：覆巢之下安有完卵

路博德率部一路攻城略地、势如破竹，南越军抵敌不住、节节败退。杨仆率部击破寻峡、石门等战略要地，大大挫败了南越军的士气，并且掳获了一大批南越军的运粮船和粮草辎重。其他各路大军都各有斩获。

南越军初胜，又得苍梧王和郡县官员拥护，吕嘉志得意满，认为汉朝军队不过如此，不知大祸就要降临。

骄兵必败，对韩千秋和吕嘉同样适用。

汉武帝闻知韩千秋兵败被杀，十分震怒，悔不听庄参之言，酿成此祸。汉武帝是一位自尊心很强的人，虽意识到庄参的远见，却没有起用他。

为表彰韩千秋、樛乐的英勇，更为了论证自己南越方略的英明，汉武帝盛赞韩千秋虽然没有成功，但作战英勇，堪称“军锋之冠”，封其子韩延年为成安侯，又封樛乐的儿子樛广德为龙亢侯，还大赦天下：“天子衰微，诸侯极力征讨，人们就讽刺大臣不知讨伐叛贼。如今吕嘉、赵建德等造反，很安然地割据一方、自立为王。我赦免囚徒之罪，命令刑徒同江淮以南的水兵共十万人前去讨伐他们。”

齐相卜式上书说：“臣听说君主受辱则臣子应当赴死。群臣应当誓死效忠陛下，竭尽全力为陛下分忧解难。没有勇武征伐之才的人应当捐出家产资助军需，如此国家才能强盛而不会受欺凌。臣愿意与儿子带领临淄战船剑弩奔赴南越战场，为国捐躯，以报效国家。”当时被封为列侯的数以百计，但都没有像卜式这样主动请求奔赴南越前线的。汉武帝对他十分赞赏，便下诏说：“朕听说君子以直报怨，以德报德，以公平正直的态度对待伤害自己的人。当今南越遍燃战火，国遭不幸，各郡县和诸侯没有什么作为。齐相卜式本是躬耕田亩、出入市井之人，以牧羊致富，不囿于小利，往年匈奴和西域有兵事时都慷慨解囊。而今朕在南越用兵，他又甘愿将毕生所积财物捐献给朝廷作为军费，还率领儿子和齐国人筹措粮饷军备，这是多么可贵的品质呀。为彰显卜式的义举，恩赐其关内侯，黄金六十斤，田十顷，布告天下，使大家都知道他的高风亮节。”

汉武帝此举是在讥刺拥兵自重而不为国解难的王侯将相，但并未达到效果，各地诸侯鲜有附和者。汉武帝心中不快，后借“酎金”之事狠狠惩治了一下这些养尊处优的诸侯们。

诸侯的淡漠反应丝毫不能影响汉武帝的大一统方略。

元鼎五年（公元前 112 年）秋季，汉武帝发兵五路征讨南越。五路大军中以自桂阳进军汇水的伏波将军路博德部和自豫章进军横浦的楼船将军杨仆部为主力。归降汉朝被封侯的两个南越人当了戈船将军和下厉将军，率兵出零陵，下离水，直抵苍梧；驰义侯将巴蜀刑徒武装起来，又调动夜郎的兵卒，顺牂牁江直下番禺。五路大军，齐头并进，南越国危如累卵。

吕嘉令南越国军队依托横蒲关、阳山关、湟溪关、离水关等凭险抵抗。汉军起初进展并不十分顺利，双方进入相持阶段。路博德下令在连州等地屯兵驻守，伺机而动。杨仆在江西建造战船、操练水师，为决战做准备。

南越军目睹在连州屯驻的汉军士气高涨、装备精良，素闻伏波将军攻无不克战无不胜的神威，自知抵敌不住，且连州屯驻期间汉越双方相处良好，不少南越士卒纷纷弃械投降。

汉军军威大振、士气愈加高涨，南越军投降情绪严重，虽禁不止。形势越来越有利于汉军。待到时机成熟，路博德和杨仆率汉军主力全线出击。

路博德率部一路攻城略地、势如破竹，南越军抵敌不住、节节败退。杨仆率部击破寻峡、石门等战略要地，大大挫败了南越军的士气，并且掳获了一大批南越军的运粮船和粮草辎重。其他各路大军都各有斩获。

五岭险隘是南越国的门户，正如郑国的虎牢关和虢国的下阳关一样。在岭南成就霸业者务必据险守国，万万不可有失，一旦失去，再要夺取就十分困难了。南越国立国之初，赵佗之所以能扬威边境，很大程度上得力于对五岭险隘的控制。

汉军兵锋所指，南越军纷纷溃逃，重兵把守的五岭险关失守。南越国丧国的号角就吹响了。

元鼎六年（公元前 111 年），路博德和杨仆两路汉军主力在番禺城下会师，将番禺城围得水泄不通。

吕嘉为自己的轻敌付出了沉痛的代价，尝到了汉军的苦头，但依然坚守待援，拒不投降。

番禺城依山傍江而筑，十分牢固，汉军多次进攻都遭到挫败。某夜，杨仆军纵火攻城，一时间，满城大火，杀声震天，南越军纷纷弃城溃逃。路博德军则在城门张网以待，俘降众多，并重赏降者使其回城招降。城内南越军素闻伏波将军威名，又看到汉军优待俘虏，竞相出城投降。汉军很快攻破番禺，汉武帝的岭南方略即将实现。此时，戈船将军、下厉将军、驰义侯所率大军还未到达番禺。路博德命士兵不得滥杀无辜，全城搜捕吕嘉和赵建德。

赵建德和吕嘉见大势已去，便在重兵护卫下趁乱杀出一条血路逃出城门，向东逃窜。路博德从被俘获的南越贵族那里得知吕嘉和赵建德已经在城破之前趁乱逃走，便通令缉拿吕嘉和赵建德。

南越战争激战正酣，汉武帝正在河东巡幸，当他走到左邑桐乡听闻汉军攻破番禺的喜讯时非常兴奋，下令嘉奖三军将士，还将左邑桐乡改为闻喜县。

苍梧王赵光不知形势如何，举棋不定，闻汉军屡战屡胜，便主动投降。越桂林监居翁降汉后还劝谕瓯越和骆越属汉。同为南越国封疆大吏的揭阳令史定也顺势而降。他们都被汉朝封侯，苍梧王赵光为随桃侯，揭阳令史定为安道侯，桂林郡监居翁为湘城侯。

识时务者为俊杰。汉军兵锋所至，各郡县官吏豪强审时度势，纷纷望风归降。原南越国授权自治的西于王趁乱起义，企图拥兵自立，但很快被左将军黄同杀死，后来归顺汉朝。原南越国难以直接管辖的交趾、九真、日南一带部族首领派遣三位使者牵牛三百头，携酒一千钟，持交趾、九真、日南三郡户籍迎降。南越国灭亡已成定局。

吕嘉和赵建德率领亲兵数百人试图逃往闽越，以东越为后援继续抗击汉军。但此时执政闽越的余善首鼠两端，既不愿意吕嘉失败致使自己被孤立，又不愿意开罪汉朝祸及自身。最终，余善未敢收留，吕嘉、赵建德逃往他处。

汉军一面缉捕吕嘉和赵建德，一面筹划闽越和夜郎的处理方略。

汉朝与闽越虽然化干戈为玉帛，但东越王余善是一个不安分的人。在闽越，余善的威望和势力远超丑之上。闽越虽由二王共治，但是实权掌握在野心勃勃的余善手里，性情柔弱、势单力孤的丑犹如傀儡一般行木偶之事。汉武帝元鼎五年（公元前 111 年），汉朝发兵征讨南越国。

余善为向汉朝献媚而主动请缨，发八千水师征讨南越国。本来，南越国是自己的仇家，余善本想趁机复仇并瓜分胜利果实，但转念一想："皮之不存，毛将焉附。南越若亡，东越岂能独存？"便明里一手暗里一手，耍起了两面派。后来，他以海上风大浪急为借口泛舟海上，逡巡不前，还私下与南越国联络。实际上是不愿意南越国灭亡，否则下一个就轮到自己了。余善十分期待看到吕嘉打败汉军，并准备在汉军失利时落井下石，从背后捅刀子。

及汉军攻破番禺，余善并未率军赶到。汉朝楼船将军杨仆上表疏陈余善罪行，请求讨伐东越国。由于战乱日久，汉武帝以士卒疲敝为由拒绝了他的请求。次年，余善私刻皇帝玉玺，自称东越武帝，据守要塞，并入侵汉朝白沙、武林、梅岭等地。汉武帝大怒，派遣杨仆、韩说、王温舒三路并进，决心彻底平定闽越。

杨仆出征前，汉武帝使用激将法，故意以书敕责他曰："杨将军的功劳只有攻破石门、寻峡之名，并未有斩将拔城之实，不足以引以为豪。先前攻破番禺时，捕获降卒以为俘虏，开掘死人以为斩获，是第一大过失；使得吕嘉、赵建德逃窜出城，到东越寻求援助，是第二大过失；士卒连年征战，你不顾念其苦，还搜罗珍宝，夸耀乡里，这是第三大过失；回师误期，还以道路险远为借口，是第四大过失；询问你蜀地刀剑的价格，你却不据实禀报，是第五大过失。不听朝廷号令，私自变更作战方案，该当何罪？而今东越反叛，你能率军征伐、将功赎罪吗？"杨仆诚惶诚恐，顿首再拜，表示一定鞠躬尽瘁，死而后已。

楼船将军杨仆出武林，横海将军韩说出句章，中尉王温舒出梅岭，三路主力并进，直扑东越。

此时越繇王居股、越衍侯吴阳、建成侯敖响应汉军，联手杀掉余善，向汉军投降。此战虽胜，打得却十分艰苦，东越人抵抗顽强，表现出强劲的战斗力。汉武帝认为，闽越之地多山阻险且民风彪悍，为除后患，武帝命令军吏将闽越人迁徙于江淮一带，闽越国的城池宫殿尽皆毁弃。

夜郎国臣属汉朝后，汉朝在其地设郡置县、选派官吏，还修道路、设驿站、守关隘，以强化对它的统治。汉武帝元光六年（公元前129年），司马相如奉命出使夜郎，对其多加宣抚。此番征讨南越，汉武帝令驰义侯持节选调夜郎及西南夷士卒出征南越，但执政夜郎的且兰君唯恐周边部落趁其倾巢出动时进攻夜郎，便率众反叛汉朝，杀掉使者和犍为郡太守。汉武帝见夜郎国不听号令反而杀害汉使和官吏，便于次年征发巴、蜀刑徒，由中郎将郭昌、卫广统帅攻打夜郎，诛杀且兰君及邛君、莋侯等，平定西南夷大部分地区，声威震天，在当地设置牂牁郡等，直接隶属于汉朝，但依然保留夜郎国号，以王爵授夜郎王，诸部族豪酋亦受册封。直到汉成帝河平二年（公元前27年），牂牁郡太守陈立杀夜郎王兴，立国达三四百年之久的夜郎国才最终灭亡，这个悄无声息陨落的文明古国在中原史籍记载中留下一团迷雾。

四、寿终正寝：南越古国的陨落

汉武帝元鼎六年（公元前111年），南越末王赵建德被捕获，南越全境尽入汉朝之手。由赵佗创立的南越国历经九十三年、五代南越王之后，终于被汉朝灭亡，结束了岭南与中央王朝的割据状态。

吕嘉和赵建德逃亡东越寻求支援未果，只得辗转流离，试图东遁入海。

原南越国郎官都稽料定吕嘉肯定东走商昌，便在此地设伏，果然捕获吕嘉。七旬老翁惨遭斩首，一代“豪杰”殒命归天。此时汉武帝巡游至汲县新中乡，听说捕获吕嘉，并见有吕嘉人头献上，深为欣慰，将新中乡改为获嘉县，以示纪念。

元封二年（公元前109年），汉武帝在益州郡设置“不韦县”（在今云南省保），取“不违”之意，还将吕嘉的宗族子孙全部迁居，以彰其先人之恶，绝南越后患。从此，吕嘉后裔便在不韦县繁衍生息。有人据“不韦”的县名认为吕嘉是秦朝丞相吕不韦的后代，当为误传。相传三国时期任蜀国永昌郡功曹的吕凯是吕嘉后裔，但也未得确证。

汉武帝元鼎六年（公元前111年），南越末王赵建德被捕获，南越全境尽入汉朝之手。由赵佗创立的南越国历经九十三年、五代南越王之后，终于被汉朝灭亡，结束了岭南与中央王朝的割据状态。

关于赵建德的结局，有两种说法。

一种说法是，赵建德被斩首示众，首级高悬于汉朝皇宫的北阙之上。

另一种说法是，赵建德被押解到长安，汉武帝念及过去几代南越王的情分，仍封他为术阳侯，一直扣押在长安直至逝世。赵建德的子孙被汉廷允许回到岭南，以赵建德的母亲揭阳橙女之故改姓“橙”，世代相传，后来融入黎族之中。

英勇的赵佗怎么也不会想到他的子孙们竟这样的不争气，南越立国九十三载，三分之二以上的时间由赵佗主政。赵佗死后，这个曾经不可一世的国度迅速败亡。个中缘由，发人深省。

下　编

千载悠悠岭南韵：岁月洗礼中的南越 Style

秦汉之际，赵佗缔造的南越国之所以在岭南历史上有如此崇高的地位，不仅仅在于它沟通了中原与岭南的联系，促进了不同文化的碰撞，还在于它为后世的民间信仰提供了无尽的历史资源。

第十一章

越王石·越王井·越王庙·越王台：一连串文化符号

建筑作为人类文明的载体，犹如座座里程碑，镌刻着人类社会在各个领域的文明发展成就，是世界各国、各民族的历史精华的积淀，承载着民族文化和民族情感，被视为一个民族对人类文明贡献的标志。越王石、越王井、越王庙、越王台，就像一串文化符号一样勾勒出南越国无尽的神韵。

一、丰功伟绩越王石

越王石是山水和人文完美融合的典范，自然风光独树一帜，人文气息异彩纷呈。其山峰千姿百态，势如南越王之千军万马，雄伟壮观，堪称粤中一绝。越王石又是一座具有王者气派的雄伟大山，被风雨剥蚀的古老烽火台记录着南越王赵佗的传奇故事。

目前国内有几处被称为“越王石”或“越王山”的地方，较著名的当推江西奉新境内的越王山、福建福州附近的越王石和广东紫金境内的越王石。福建境内的只是一块石头，而江西和广东境内的则是一座山。

江西越王山原名“药王山”，相传春秋时期越王勾践借助攻灭吴国的军威西伐楚国，曾在药王山扎寨筑城，长期安营驻防，后人称之为“越王山”。福建越王石著称于世源于“廉洁郡守感动越王石”的传说：五代十国时期，晋安郡郡守清廉无私、造福百姓，感动了海里的越王石，美妙绝伦的越王石便出现在海边供人观赏。

本书重点介绍广东越王石。

广东越王石，又称越王山，坐落在今紫金县西南的古竹镇。越王石是褐红色的石山，属于典型的丹霞地貌，层峦耸翠，千姿百态，气象非凡，名列广东七大石山之一。

越王山因两千多年前西汉南越武王赵佗曾在此登高面壁、铭志称王而得名。

相传赵佗率大军泛舟至此，船经古竹，越王山拔地而起。他看到山势雄浑，气势磅礴，层峦耸翠，心中万丈豪情被激发出来，攀至绝顶举目远眺，豪气顿发，激情澎湃，浩渺东江若带，百里田畴如织，真是一片壮美山河！从山顶到山脚，苍茫翠绿，林海沉浮。俯瞰泉水长流，上可望河源、龙川，下可望归善、博罗，东能眺义容、青溪，西能览罗浮山系，整个东江水系一览无余，气象开阔如无尽海洋。置身于群山簇拥之中，似诸侯来贺，万国来朝，君临天下，挥斥方遒，确实有山中王者之气。赵佗意气风发，踌躇满志，面对石壁冷静地分析天下大势，立志做一番轰轰烈烈的大事，后来受封为“南越王”，这座石山便被称为“越王石”。

越王石四面陡峭，唯有一条弯弯曲曲的小径通往山巅。山巅有一口越王井，水质甘甜，终年不涸，相传为当年赵佗游山时口渴而令人开凿的。山腰有一线天、越王谷、越王榻等名胜。相传赵佗驾舟浮过，见天际一线，遂命名为“一线天”；他经过一处峡谷时被壮丽景色深深吸引，便将此谷命名为“越王谷”；但见一座山峰高耸独秀，便攀登至此，卧于一块大石头上休息，遂命名为“越王榻”。

千年的古寨门、越王榻，让人睹物思情。越王石是山水和人文完美融合的典范，自然风光独树一帜，人文气息异彩纷呈。其山峰千姿百态，势如南越王之千军万马，雄伟壮观，堪称粤中一绝。越王石又是一座具有王者气派的雄伟大山，被风雨剥蚀的古老烽火台记录着南越王赵佗的传奇故事。

围绕赵佗和越王石，当地流传着一个家喻户晓的传说。

从前，一位仙人赶着一大群鸡、马、猪等牲畜经过东江河边。刚巧，一位老婆婆正在东江河畔洗衣服，忽然许多大块的乌黑巨石从东江上游翻滚袭来，她来不及躲闪，眼看就要遭遇厄运。在这千钧一发之际，身材魁梧的仙人已经站在她跟前，问她有没有看到一群牲畜经过。她说："没有看见牲畜，倒是看见了许多形似乌猪的石头滚落下来。"原来，这是仙人赶着一大群牲畜路经这里，不巧遇见了这位老婆婆，被识破了天机。仙人告诉她："看来这是此地的福分了，以后这里会长生富贵。"话音刚落，那些牲畜就停止了滚动，变成了石头山。这位仙人就是被当地人称为长寿仙的赵佗。赵佗和这位老婆婆也变成了大小不一的越王石。越王石由许多险峻而秀美的石峰组成，一座座石峰的走势就好像一大群乌猪匍匐前行。

"留洞"的得名也与此有关。相传赵佗在越王山山顶的一个岩石洞中留宿时，发现这里一年四季有泉水长流，上可望河源、龙川，下可望归善、博罗，东能眺义容、青溪，西能览罗浮山系，整个东江中游水系全境几乎一览无余，确实有山中帝王之气。赵佗在此逗留多日，不舍得搬走，佗城建好才搬离这里，此后当地人称此洞为"留洞"。

关于越王石的传说很多，虽未必属实，却真切地反映出越王石所承载的深厚的历史文化内涵。

今日的越王石早已开辟成旅游胜地。置身越王石，抬头可览山景，俯首能赏水韵，侧耳可听鸟鸣，闭目可闻花香，真可谓"一步一佳景，步步倍幽奇"。

二、千年润泽越王井

越王井历经两千余年沧桑巨变，至今犹存，是广州城乃至岭南历史变迁的见证者。秦汉以降，越王井由南越王宫专用井逐渐演变为百姓日常用井，滋养着一代代世居此地的人们。

越王井是广州有史可考的最古老的水井，相传为南越国的缔造者赵佗所掘，距今已有两千多年的历史。

赵佗任龙川县令时便在龙川设置署衙，即赵佗府邸，宋代时该府邸改称“光孝寺”，明清多次重修，清同治年间曾改为“万寿宫”。在府邸附近的温泉旁，赵佗命人凿井取水，这便是龙川的越王井。建国南越后，赵佗又在番禺附近修筑“光孝寺”，并在寺中开凿水井，民谚曰：“未有羊城，先有光孝”，便是强调被视为“岭南第一名刹”的光孝寺的厚重历史和崇高地位。位于龙川和番禺的两口井皆曰“越王井”，此处重点介绍位于番禺的越王井。

南越国时期，越秀山上有越王宫，越王宫室需要用水，便在附近择地凿井。因越秀山上建有越王台，故而此井又叫越台井。传说赵佗打算在此地凿井时，特意请堪舆师观看风水，堪舆师断定在此凿井会得到井底龙王的保佑，南越国一定会繁荣富强，赵佗便决定在此凿井，作为王宫专用井。据传，赵佗命人掘井时，每天都有很多中原移民和当地越人前往观看，等到井掘成，吊出一桶桶清凉的井水时，汉越各族人民一齐跪在地上祈祷神灵佑护，一连数日，汉越各族人民都自发地唱歌跳舞、欢呼雀跃，表达激动的心情。越人从未见过如此精湛的凿井技术，为之错愕良久，可见当时来自中原先进的凿井技术对尚处于原始社会的岭南有着多么强劲的冲击力。在某种意义上说，越王井是中原先进的凿井技术在尚处于刀耕火种的百越之地催生岭南文化的有力佐证。

原井呈方池状，宽丈余。井口平面呈六角形，直径约两米，以四块石板铺成。井身全部石砌，深数十米。由井口往里看，幽深的古井内壁露出青色的砖石，沿着井壁长着些野草，遮掩着些许的神秘。

越王井历经两千余年沧桑巨变，至今犹存，是广州城乃至岭南历史变迁的见证者。秦汉以降，越王井由南越王宫专用井逐渐演变为百姓日常用井，滋养着一代代世居此地的人们。

据唐代杜佑《通典》记载，南海有“天井口”，并对此井有粗略描述，天井即越王井。

号称“东江进士第一人”的唐代翰林学士韦昌明曾作《越井记》碑文，盛赞越王井千年来润泽着一方民众，碑文大意如下：

昔日南越王赵佗在阻山带河、四面平旷、土壤肥沃、草木旺盛、登山景望的嶅湖之东兴建治所，又在附近山河相望之风水宝地开凿水井，被称为“越王井”。

南越的称谓自春秋时便有了，秦朝平定百越后，在此建置南海郡，下设龙川县，而在此地称王建国者当始于赵佗。

越王井井口宽二丈五许，深约五丈。越王井水源充沛，即使在干旱之年，上万人都靠此井饮水也取之不尽用之不竭。

越王井水质良好，清洌味甘，香远益清。自秦朝到现在八百余年，正如《史记》所载，赵佗建国南越后，和辑百越，世守南疆，功莫大焉。

秦朝迁徙大量中原百姓移居岭南三郡，使与百越杂处。我们家族祖上响应号召，从陕西迁居于此，已经经历了三十五代，与越王井的发展历史相始终。因此，作《越井记》纪念越王井。

在长期的历史文化演义中，围绕着富有传奇色彩的越王井，民间流传着许多神秘传说。清初广东籍学者、官员屈大均在《广东新语》中说，有一个人曾把一只酒杯投入这口清泉井内，有意思的是，几天后，这只杯子竟然在十五公里之外的石门水面上浮了出来，一个船夫打鱼时看到这只杯子，好奇地将这只杯子捞起。此事一传十，十传百，石门通越王井的消息很快满城皆知。石门通越王井使得地下水保持流动循环，这是越王井水清爽甘冽的重要原因。

越王井水质良好，常饮此井之水对身体十分有益。清代屈大均的《广东新语》称越王井乃“玉石之津液”，赵佗常年饮用此水，祛病消灾，长命百岁。清乾隆年间广东地方官王永熙在《重浚越王井记》中说，夏日中暑之人只要喝此井之水即可病除，还可强身健体、益寿延年。越王井养民有常、不变始终的功效令世世代代的人们视之为“不老神泉”。

越王井以其功效和名气赢得历代重视，经历过多次整顿修葺或勒碑立传。

宋代番禺县令丁伯桂曾到越王井边视察，看见百姓排长队来井边取水，经常因为取水发生冲突。丁伯桂觉得自己作为父母官应该为百姓做好事，就派人修缮这口井，在井口上加盖大石板，并开凿九个井眼，互不抵触，以方便百姓汲水，因而百姓又称之为“九眼井”，现存井盖残石及“九眼古井”石碑。由于越王井人流量很大，丁伯桂便经常去井边走访。某日，他看到一位驼背老人来井边汲水，费了好大劲也没汲多少，最后在一位后生的帮助下才取到一桶，然后步履蹒跚地往家走。丁伯桂见状便问老人为何不让子女来汲水，老人说自己孤身一人，生活艰辛。丁伯桂回到县衙后立即派人了解孤寡老人的生活情况，令里正安排好他们的生活。此事传开，百姓都称赞丁县令是清官。清代台湾爱国乡绅丘逢甲曾为此作《九眼井》一诗：

歌舞冈前汲道新，闭关容作老夫臣。
陈亡项灭韩彭死，只许君王是寿人。

明代英宗天顺年间，广州府通判将越王井列为广州十大名泉之一。

古代广州多受海潮影响，地下水质大多卤咸，然而越王井始终保持着优良的水质。明武宗正德年间，学士黄谏所著《广州水记》将广州城内的泉、井、涧的水质分为十等，越王井名列前茅。

由于越王井水质优良，甚至引起官方与民间争夺水资源的斗争。五代十国时期，南汉统治者刘龑称此井为“玉龙泉”，妄图独占此井，禁止百姓汲水，引起百姓激烈抗争。宋代苏轼游览岭南，得悉岭南百姓都喜欢饮此井之水，还猛烈抨击有权有势者妄图垄断井水资源的恶劣行径。清代初年，平南王尚可喜曾在越王井四周筑起高高的砖墙，派兵把守，还张贴告示：有私汲井水者，鞭笞四十。尚可喜独霸此井达十年之久，赤裸裸地与民争利，百姓不得饮此井之水。

清道光年间，井边居民甚多，街渠不畅，污水经常流入井中，水质逐渐变坏。

民国初年，军阀龙济光曾派几十名士兵轮番抽水，想清理这口废井，花了两天时间才把水排干，可见此井的容量之大。20 世纪 60 年代后，该井逐渐失去饮水功能，只作为参观对象。

三、悠悠千载越王庙

赵佗把毕生心血倾注在龙川和岭南的开发建设上，深受岭南汉越各族人民的爱戴。为纪念赵佗的功绩，龙川人为其建庙奉祀，并将庙宇建在县衙治所大门的右边。

庙宇是宗教活动的场所，在中国人心目中占据神圣的地位。人们在生活上遇到变故或挫折，往往归因于命运，为了寻觅精神寄托，便热衷于祈求神灵保佑、消灾解厄。中华文化重视此岸而轻彼岸，千百年来，中国古代的庙宇中常常供奉着受人爱戴的儒者、清官、名将等，能被供奉进庙宇是对一个人的充分肯定。

赵佗把毕生心血倾注在龙川和岭南的开发建设上，深受岭南汉越各族人民的爱戴。为纪念赵佗的功绩，龙川人为其建庙奉祀，并将庙宇建在县衙治所大门的右边。

受史料所限，南越王庙始建时间长期未定，成为困扰考古学家的一个谜团。近些年，经过考古学家的苦苦探索，确定越王庙始建于宋代，距今已有近千年历史。

宋代以前，祀奉赵佗的庙宇叫做南越王故宫。今日的南越王庙是在前身——宋代“光孝寺”基础上经历朝历代修缮而成。明代时，光孝寺旧址又叫吴家水阁，后来在此基础上修葺而成“平寇祠”，清康熙年间改成“南越王祠”，清乾隆年间改成“南越王庙”，沿用至今。

明代南越王庙曾叫做“平寇祠”，原是当地百姓奉祀明代在龙川为官的洪云蒸的。

洪云蒸，字化卿，号紫云，湖南攸县人，明万历进士。相传，洪云蒸年少时家教甚严，其母亲对他的成材扮演着至关重要的角色。他家离学堂有两三公里的路程，但母亲让他每日挑两块大土砖上学，以练其筋骨、磨其意志。待学问见长，洪云蒸被推荐到江西颇负盛名的刘沪潇先生门下研习程朱理学，很快便登堂入室。他钻研王阳明学说，废寝忘食，手不释卷。他信服王阳明的“致良知”、“知行合一”的哲理，慨然叹曰:“为人须如此。”他认为，“致良知”就是要兴教育，育人才;“知行合一”就是要身体力行，不畏艰险。他不是空谈性理的腐儒，而是注重学以致用，满怀热忱地将平生所学贡献给社会。他多方奔走呼号，创建了金仙书院，扩建了书斋和宿舍，邀请有志研究程朱理学的儒生来书院授课布道。他在给叔叔的诗中写道:“云蒸心愿言报国，千秋万代戴尧天。”表达了他报国为民的心愿。中进士后，他担任诸暨县令，由于刚正不阿，得罪了上司，遂罢官回乡，又在金仙书院讲学三年，弟子遍及湘东诸县。有寄弟子诗写道:“小江江上旧相携，此日涛声满绿溪。我寄檐前声数点，和风和雨到江西。”他在《金仙书院记》中阐述了他办学兴教的主旨："先贤名儒具有刚烈的浩然正气，像金子一样；孔子、孟子敬天保民、尊师重教，如仙人一般。现在，我们这些后学们应该秉承贤哲遗愿，以'金仙'为名创办书院，广建学堂宿舍，传道授业解惑，推崇义理，彰显真善美。金仙书院重视躬行而非空谈，崇尚实证实悟而非纸上谈兵，尊崇博物洽闻而非剿袭杜撰。这样差不多才能达到为往圣继绝学的理念。"

洪云蒸不仅仅是个善于读书问学的书生，还是保境安民的好官员。

崇祯七年（公元 1634 年），洪云蒸出任惠州府分守道。次年，海贼刘香作乱，洪云蒸会同两广军门熊文灿、参将夏之林、潮州海防黄宗、惠州理判刑姚希哲等到海丰招抚刘香。刘香派遣军师余仙客、副军师胡十四到海丰县拜会洪云蒸，双方谈成了招抚之事。四月四日，在海丰谢道山海岸搭起五道厂棚，举行招抚仪式。

临行时，洪云蒸自度刘香不是真心投顺，便致书儿子说："我此次到谢道山下招抚海贼，凶多吉少，可能就此葬命于茫茫大海，你要秉承我的遗命，记得多为百姓做好事。"招抚之日，谢道山下人山人海，有参加招抚的官员和海贼首领，还有附近的乡绅和数千名群众。刘香带领着四五十只木船来到山下，登岸参见洪云蒸，慰谕已毕，刘香骤然指责洪云蒸伪抚，劫持洪云蒸下船。岸上顿时大乱，践踏无数。刘香把洪云蒸囚禁在平海的磨子峡。

第二年，熊文灿会合福建总兵郑芝龙率领战船二百余只征剿刘香，刘香挑选先锋船九只仓皇迎战。刘香的先锋船到达碣石田尾洋时，忽然东北风大作，郑芝龙的战船顺风直下，万炮齐发，刘香的先锋船纷纷中弹沉没。刘香见大势已去，急忙向洪云蒸乞求，表示愿意归顺朝廷。洪云蒸怒发冲冠，破口大骂："你这个背信弃义的海贼，眼看就要被剿灭了，还有什么资格谈招抚事宜呢？"刘香恼羞成怒，把洪云蒸杀死在船上，随后引火自焚。

不久，洪云蒸的儿子在海丰县东坑的海岸上认出了父亲的尸体，恸哭一场。洪云蒸死后面目如生，怒发上指。尸体运经海城时，海丰县城百姓悲伤不已，纷纷捐款买下吴家水阁建造洪公祠。从此，当地绅民将洪公祠称作“平寇祠”，以纪念洪云蒸。

延至清代康熙六十年（公元1721年），祀奉赵佗的南越王故宫改为佛寺，不知道将南越王神主牌位迁往何处。时任龙川县令的臧琮，便将不远处的平寇祠加以修葺，改名为“南越王祠”，将赵佗牌位迁往此处安放。“平寇祠”脱胎换骨成为“南越王庙”，庙中前殿祀南越王赵佗，后堂仍祀奉洪云蒸，后来又增加了曾在龙川为官且政绩不俗的苏辙等“龙川十贤”。

清代乾隆四十三年（公元1778年），当时的龙川知县胡一鸿看见南越王祠屋舍狭小，椽木腐烂，便将南越王祠改建为三楹，变成了二进院落四合院式布局，并改名为“南越王庙”。至今仍保留着的庙门石额镌“南越王庙”四字，也为胡一鸿所题，阴文楷书、深厚有力，颇具飘逸之气。庙中间祀奉南越王赵佗，东西两庑祀奉“龙川十贤”。后殿右侧墙上镶有一块长约一米的“胡一鸿知县重修南越王庙”的碑记，碑文对南越王赵佗的政绩及后人为纪念他而多次修建庙宇的过程作了详尽地记述。

民国和共和国时期，南越王庙都被列为重点文物，经历了多次修缮刷新。2005年，南越王庙得到全新修葺，在南越王赵佗铜像的开光仪式上，观者如潮，万人空巷，通城沸腾。修建后的南越王庙，雄风依旧，辉煌再现，殿宇壮观，构造精巧，古朴庄重，具有独特的清代建筑艺术风格和较高的研究价值。

历经千年的南越王庙产生了许多神奇传说，也说明了民间对南越王庙的关注程度很高。

清代有一次修葺此庙之时，缺少相应的巨木十余根。数日后，东江涨水，忽然漂来巨木十余根，众皆惊愕，以为是神灵庇佑，便对修葺工程十分重视，工程进度加速，很快便修葺一新。

关于南越王庙，民间盛传“狮子吐血”的故事。南越王庙前盘踞着一对石狮子，粗犷狰狞、孔武有力，据说有预知吉凶祸福的法力。老百姓中流传着一句“狮子吐血，佗城东坝即将沉没”的谶语。居住在东坝附近的一位富绅拜求一位风水法师，毕恭毕敬，祈求赐福，风水法师见其心诚，便对富绅说：“此坝即将被毁坏，万万不可久居此地，等到大坝沉没，你们全家逃走都来不及。若想渡过此劫难，现在就变卖家产，扶危济困，积善行德。你只要看见越王庙前的石狮子吐血，就赶快搬离这里吧，那是大坝即将沉没的先兆。”后来，此富绅派婢女日日赶早上街买菜，目的是观看石狮子是否吐血。某日天还没亮，一个屠夫杀猪宰羊，手上沾满血腥，想起风水法师的话，将信将疑，在好奇心的驱使下，他前往庙前，将带血的手放进石狮子的嘴里，顿时血流不止，婢女见状慌忙回家报告，富绅急忙携全家搬离，不多久大坝果然沉没。“狮子吐血”的预言成真！

四、秋风立马越王台

古来煌煌大观的越王台而今残败不堪，当年叱咤风云的英雄人物早已化为尘埃，烟瘴横生，行人罕至，荒村野郊，鬼狐哀鸣，何其悲壮凄凉。

现在国内有几处名为“越王台”的地方，一处在浙江绍兴，一处在福建福州，一处在福建莆田，一处在广东广州。位于绍兴的越王台是后人为缅怀越王勾践卧薪尝胆、复国雪耻而建；位于福州的越王台又称钓龙台，相传越王余善在此垂钓时曾钓上来一条白龙；位于莆田的越王台是后人为纪念率众抵抗西汉进攻宁死不屈的越王余善而建。本书所介绍的越王台是位于广州一带的越王台。

南越王越佗一生先后在岭南地区筑有“长乐台”、“白鹿台”、“越王台”、“朝汉台”，四座台。

五华长乐台是公元前 196 年，陆贾使越说服赵佗归汉后，赵佗为表示接受汉朝赐封而特意修筑的。新兴白鹿台是公元前196年，赵佗为庆贺狩猎中捕获两只白鹿而修筑的。广州朝汉台是公元前179年，陆贾第二次出使越国说服赵佗归汉时，赵佗为表诚意归顺修筑的，每逢初一、十五便登台面北遥拜汉帝。

四台当中，位于越秀山的越王台最为有名，清代番禺籍文学家屈大均的《广东新语》和现代学者徐续的《岭南古今录》均有记载，至今仍然是广州的文化标志。

建于赵佗称王建国后的越王台又称越井冈、歌舞冈，唐代韩愈称之为“武王台”，原本是赵佗每年三月三日登高远眺之处，后来成为南越国举行重大典礼的场所，赵佗多次在此与群臣登高宴乐、娱目赏心、畅谈幽情。

关于越王台的具体地址，说法不一。阮元《广东通志》认为，以观音阁为中心，观音阁的北面是镇海楼，东面是应元宫，南面是龙王庙，东北方向便是越王台，越王台西邻镇海楼。《白云越秀二山合志》认为越王台坐落在越秀山主峰的越井冈的东北方向，依据是韩愈“乐奏武王台”诗句和苏轼“越井冈头云出山”诗句。

越王台承载着浓重的历史文化，吸引着历代文人骚客驻足游览，也留下了大量诗文。

唐代诗人许浑作诗以登高怀古见异，时常追抚山河陈迹，俯仰古今兴废，颇有苍凉悲慨之致，与杜甫并称，有“许浑千首湿，杜甫一生愁”之说。他客居岭南时登临越王台，作《冬日登越王台怀旧》一诗：

月沉高岫宿云开，万里归心独上来。

河畔雪飞扬子宅，海边花盛越王台。

泷分桂岭鱼难过，瘴近衡峰雁却回。

乡信渐稀人渐老，只应频看一枝梅。

广州飘雪时分，越王台银装素裹，在珠江的映衬下分外壮美。此情此景，让人悲从中来，远离故土，鬓毛渐衰，游子思乡心切，羁旅之苦有谁知晓。如果说这首诗是借景抒情的话，那许浑的《朝台送客有怀》则是咏史抒怀：

赵佗西拜已登台，马援南征土宇宽。
越国旧无唐印绶，蛮乡今有汉衣冠。
江云带日秋偏热，海雨随风夏亦寒。
岭北归人莫回首，蓼花枫叶万重滩。

唐代人文荟萃，骚客云集，流传千古的诗文汗牛充栋，以下摘录几首与越王台有关的诗文。

宋之问客居岭南时作《登粤王台》诗：

江上粤王台，登高望几回。
南溟天外合，北户日边开。
地湿烟尝起，山青雨半来。
冬花采卢橘，夏果摘杨梅。
迹类虞翻枉，人非贾谊才。
归心不可度，白发重相催。

在岭南做官的崔子向作《题越王台》一诗：

越井冈头松柏老，越王台上生秋草。
草木多年无子孙，牛羊践踏成官道。

流寓南海、怡情山水的刘言史作《越井台望》云：

独立阳台望广州，更添羁客异乡愁。
晚潮未至早潮落，井邑暂依沙上头。

李群玉《中秋越台看月》云：

海雨洗尘埃，月从空碧来。
水光笼草树，练影挂楼台。
皓曜迷鲸目，晶莹失蚌胎。
宵分凭槛望，应合见蓬莱。

黄滔《广州试越台怀古》云：

南越千年事，兴怀一旦来。
歌钟非旧俗，烟月有层台。
北望人何在，东流水不回。
吹窗风杂瘴，沾槛雨经梅。
壮气曾难揖，空名信可哀。
不堪登览处，花落与花开。

曹松《登越台歌舞冈》云：

忆归休上越王台，归思临高不易裁。
为客正当无雁处，故园谁道有书来。
城头鼓角催寒尽，海里残潮荡月回。
心似百花开未得，年年花发被春催。

五代十国时期，南汉开国皇帝刘龑铺砌“呼銮”，由山脚直趋山顶的越王台，后来成为人们登高览胜、极目抒怀的佳境。越秀山径，漫步长廊，冷风拂面，仙铃轻鸣，何其畅快？宋代，越王台仍然是人们登高远眺的绝妙之地，恰如宋代文人唐庚记所说，越王台盘踞越秀山之险峰，南面俯望潺潺溪流，岿然挺立，周边诸峰像诸侯朝拜天子一样不招自至，极目遥望，隐隐约约可以看到云山雾罩中的海外诸国。南宋诗人杨万里《三月晦日游粤王台》诗云：

榕树梢头访古台，下看沧海一琼杯。
越王歌舞春风地，今日春风独自来。

南宋广东籍诗人李春叟《登粤秀山》云：

宇宙皇图远，山川霸气收。
唯余汉时月，犹照越台秋。
天迥明城树，云空敛海楼。
青光对尊酒，莫作古今愁。

宋末元初，爱国诗人文天祥作《望越台》一诗感怀时局，借景抒情：

登临我向乱离来，落落千年一越台。
春事暗随流水去，潮声空逐暮天回。
烟横古道人行少，月堕荒村鬼哭哀。
莫作楚囚愁绝看，旧家歌舞此衔杯。

古来煌煌大观的越王台而今残败不堪，当年叱咤风云的英雄人物早已化为尘埃，烟瘴横生，行人罕至，荒村野郊，鬼狐哀鸣，何其悲壮凄凉！

元代，达官显宦、文人骚客、市井百姓对越王台看得很神圣，留下无数经典诗句。其中，以监察御史许有壬登临越王台后所作《登越王台》最为有名：

问俗来南海，休期上越台。
际天迷苍莽，拔地起崔巍。
五管衣冠府，连城锦绣堆。
势吞蒲涧远，气压海珠摧。
岭峤横卷石，沧溟瞰一杯。
人惊尘世隘，鸟尽碧天回。
雾列番中国，云摩船上桅。
黑风鲸浪立，红气蜃楼开。
市货烦重译，蛮琛尽九垓。
缅思椎髻子，徒困岛夷财。
下濑才分节，雕甍又劫灰。
我行求古迹，天遣度诗材。
长啸鱼龙骇，遄归鼓角催。
远游心未已，东北是蓬莱。

到了明清两代，越王台简直成了光辉灿烂的代名词，人们赋予越王台非凡的意义，由此产生的传说、诗文经久不绝，在时光的洗礼中熠熠生辉。

明代位列“南园前五子”的诗人赵介和“南园后五子”的黄佐、黎民表、欧大任、梁有誉等都写过关于越王台、镇海楼的经典诗文。

明末清初民间还流传着陈子壮在越王台附近组织反清复明的悲壮故事，后来被演成粤剧《血染越王台》，广为传诵。陈子壮是广东南海人，明万历年间高中探花，先后经历万历、泰昌、天启、崇祯四朝。清兵入主北京后，陈子壮被永历帝任命为东阁大学士兼兵部尚书，督广东、福建、江西、湖广军事。陈子壮立志杀敌报国，便与兄弟子嗣倾家募兵，慷慨赴难。清顺治四年，兵败被俘，面对清廷威逼利诱，慷慨陈词，誓与清兵抗争到底，最后在东校场被施以“锯刑”，壮烈就义。陈子壮与同样参与反清复明的南明永历朝兵科给事中陈邦彦、南明隆武朝监军御史张家玉并称为“广东三忠”。越王台成为歌颂热爱故国、英勇顽强的文化符号。

清代，围绕越王台，岭南文士还成立了越台词社。越台词社是岭南词史上最重要的本土词社。自道光二十三年（公元 1843 年）起，先后举行过五次雅集。主要成员谭莹、陈澧、沈世良、陈良玉等皆是岭南人士。词社成员有共同的诗文旨趣和行文风格，对岭南文化发展意义深远。

建筑作为人类文明的载体，犹如座座里程碑，镌刻着人类社会在各个领域的文明发展成就，是世界各国、各民族的历史精华的积淀，承载着民族文化和民族情感，被视为一个民族对人类文明贡献的标志。越王石、越王井、越王庙、越王台，就像一串文化符号一样勾勒出南越国无尽的神韵。

南越古国建筑遗迹的魅力在飘摇的历史风雨洗礼中愈加光彩夺目。

第十二章

城池：岭南文明的重要标志

佗城虽不大，却闻名遐迩。自赵佗建城以来，长期为州县治所，素有“秦朝古镇”、“汉唐名城”、“明清岭南明珠”、“珠江东水开端，岭南古县第一”之美誉。

广州历史悠久，文物遗址齐聚地下，有“12 朝 27 层藏宝图”之誉。广州历史堪称层累的城市编年史的典范。

一、百粤首邑：史诗般的佗城

十里繁华牵动天下俊彦，古邑逸韵传承千载文光。世居此地的龙川人民在这里渔猎耕织，繁衍生息，享受着先贤留下来的精神食粮，也为这块风水宝地增添了几抹灵动之光。

龙川，上古时期属九州之一的扬州南境，战国时属楚，号百越，秦汉时期属南越。

龙川得名说法不一，据《广州记》的说法：博罗之东乡，东龙穿地而出，即穴流泉，因以为号；据《南越志》的说法：县北有龙穴山，舜时有五色龙，乘云出入此穴；还有一种说法是，龙潭自螯山分注于川，故名龙川。

早在新石器时代，龙川境内佗城坑子里、上印牛背岭、紫市坪岭头、九龙岗、丰稔牛角塘、登云鲤鱼山、龙母坪背岗等地已有人类从事渔猎、耕织等活动。

古龙川治所不是今日的龙川县城，而是号称“百粤首邑”的佗城。

佗城，原称龙川城，后称循州城，后为纪念赵佗，改名为佗城。佗城是岭南最早设置的古县——龙川县城，又是广东省首批公布的十一个历史文化名城之一，距今已有两千多年的历史。

佗城是秦始皇二十三年（公元前 214 年）赵佗在南海郡龙川县任县令时修建的土城，是龙川县治所，也是这位南越第一代君王称雄岭南的隆兴之地。赵佗称王建国后，龙川属于南越国辖地，臣汉后，仍由南越国管理。西汉武帝元鼎六年（公元前 111 年），汉朝平定南越国，设置交趾部，龙川属汉朝的南海郡管辖。

龙川自古以来就是战略要地，处于东江、韩江分水界附近，西南可顺东江而下控制龙川南部，东南可顺韩江而下控制龙川东部，是粤东北部政治、文化、经济中心，还是往返粤中、兴海、赣南乃至闽西之间的必经之处，为东江流域兵家必争之地。

赵佗始建城池时，城小道狭，城为土筑，方形，城垣周长仅八百米。

佗城虽不大，却闻名遐迩。自赵佗建城以来，长期为州县治所，素有“秦朝古镇”、“汉唐名城”、“明清岭南明珠”、“珠江东水开端，岭南古县第一”之美誉。

一进佗城，你就会深深嗅到一股有着两千余年历史的淡淡书香。两千多年的文化，两千多年的沧桑，使得这部古书神韵飘香。

岭南初开，地广人稀、土瘠民贫，故秦平百越后首次在龙川设县时，龙川管辖区域辽阔，其范围大致包括今龙川、兴宁、五华、东源、源城、连平、和平等县的全部以及紫金、新丰、陆丰和江西寻乌、定南等县的一部分。

著名历史地理学家侯仁之说：“一个城市一旦适应社会经济发展的

要求而开始出现的时候，它就必须具备一个足以满足它的发展要求的固定场所。因此，如果说社会经济的发展是城市出现的决定因素，那么适当的城址就是城市发展的必要条件。”另一位历史地理学家谭其骧先生认为：“一地方至于创建县治，大致即可以表示该地开发已臻成熟。”赵佗选址建城就充分说明了这一点。这一地区的经济文化发展水平到了不建城池不足以镇抚的地步。

在越人聚集的龙川设县必须对治所之地精挑细选。赵佗当时选定佗城为龙川县治所，主要是因为其有优越的地理条件，这里东江若龙，群山似虎，西可至梅关，东可达闽越，南可抵南海，进可出江西通往中原，退则易守难攻。同时又处于龙川县的中心地带，便于管理，故设县治，筑八百米周长的土城，开辟了龙川建城史的先河。

拂去历史烟尘，秦风汉韵依稀留存。由于佗城长期以来作为该地区的州县治所，因此是文物荟萃之所。虽经千百年的沧桑巨变，佗城至今依然保存近百处文物古迹，如秦时古城基、越王井、越王庙、赵佗故居、孔庙、正相塔、正相寺、循州治所、苏堤、马箭岗、点将台、考棚、城隍庙、古城墙、古砖窑遗址、坑子里遗址以及数十座古老的祠堂。

重视教化是龙川乃至岭南迅速崛起的重要因素。古代佗城的学宫是传道授业之所，考棚是科举考试之所。气势雄伟的学宫，飞檐挑角，古风犹存。科举考棚，古树参天，幽静清雅。学宫和考棚承担着佗城的教化重任。

佗城不仅文物遍布，而且还有秀美可人的旖旎风光。霍山风景区奇险秀丽、洞幽峰奇、百态千姿，素有“朝在罗浮，暮在霍”之美誉。久负盛名的“龙川八景”有五景在佗城，分别是“鳌湖秋月”、“东山暮钟”、“梅村横舟”、“龙台晚眺”、“合溪温泉”。宋代大文豪苏东坡游览佗城胜景，畅意抒怀，写下《古邑龙川八首》：

鳌湖湖水漾金波，鳌顶峰高积雪多。

太乙仙岩吹铁笛，东山钟静诵弥陀。
龙潭飞瀑悬千尺，梅村舟横客众过。
纵步龙台闲眺望，合溪温水汇成河。

另一首诗：

鳌湖湖水水澄清，最喜秋来月漾金。
夜静问渠天在水，嫦娥推倒玉轮沉。

遥想当年，立于正相塔下远眺鳌湖，亭台楼塔，长桥卧波，林木掩映。秋高气爽之时，皎月当空之际，天际湖底，如明镜上下辉映，城郭隐约，远处江帆可数，好一幅天然画图。“谁怜东坡老，独看南海灯。”“平居著鞭苦不早，东坡南窜岭南道。”一代文豪，一处胜景，天人合一，诗画交融，真乃至臻至美之境。

苏轼的弟弟苏辙因针砭时弊被贬谪岭南，曾在龙川做地方官时作诗数首，其中《次韵子瞻连雨江涨二首》颇有韵味：

南过庾岭更千山，烝润由来共一天。
云塞虚空雨翻瓮，江侵城市屋浮船。
东郊晚稻须重插，西舍原蚕未及眠。
独掉扁舟趁申卯，米盐奔走笑当年。
客到炎陬喜暂凉，江吹虚阁雨侵廊。
回看野寺山溪隔，卧觉晨炊稻饭香。
荔饷深红陋樱枣，桂醅淳白比琳琅。
思移峤北应非晚，未省南迁日月长。

佗城真是一块风水宝地，三面环山，山峰秀丽，东临东江，江水如龙。佗城是三龙贯穴的“三龙口”，也叫“生龙口”。盘踞于此的整山山脉、西山山脉和龙台山脉都貌似龙，龙自北向南蜿蜒而来伸向佗城。鳌山龙头伸延到佳派村的东江河边，西山龙头伸延到塔西村的东江河边，古人为防止此二龙离川出海，便在此二龙的龙头上建了老塔和新塔，目的是镇住两条龙，使其不能离开龙川，风水不能外流，从而造福龙川人民。古塔建于唐代开元年间，巍然屹立，挺拔典雅。新塔建于明代天启、崇祯年间，是高达三十余米的七层楼阁式砖塔，苍劲古朴。新老双塔遥相呼应，倒映在湖水之中，蔚为壮观。龙台这条龙的龙头还未进入佗城，原佗城北门口建有接龙桥，迎接龙台这条龙进县城。原古城的大东门不是朝东，而是向东南，因为东江河中间小岛——东坝，从大东门看东坝恰似龙珠，地理风水学称“三龙滚珠”或“生龙滚珠”。佗城就建在三条山脉似龙的龙头所在地，物华天宝，人杰地灵。

十里繁华牵动天下俊彦，古邑逸韵传承千载文光。世居此地的龙川人民在这里渔猎耕织，繁衍生息，享受着先贤留下来的精神食粮，也为这块风水宝地增添了几抹灵动之光。

二、越秀繁世仙气灵：梦幻般崛起的广州城

“南武河山在，北窗花竹幽。”南武城历经风雨洗礼一步步走来，只是喧嚣殆尽，繁华已逝，河山空在，唯有荒台犹存，花竹独幽。何其凄美？

（一）南武：先秦广州城雏形

众所周知，自古以来位列岭南城市之首的广州简称“穗”，古称南武、楚庭、任嚣城、番禺、南海等，现称羊城、穗城、穗垣、花城、花都、越秀城、五羊仙城等。

一座城市拥有如此多的别名，在通常被认为是“文化荒漠”的岭南一带是十分罕见的，这足以体现出广州城历史文化积淀之深厚。清代时

任广东学政的诗人李调元曾著《南越笔记》一书，对广州乡土民情着墨颇多，还作《广州咏古》诗：

越王宫殿半摧残，
甘菊芙蓉色尚丹。
歌舞冈前当日盛，
三千绣面听呼銮。

在今日的广州一带，远古时期即有人类活动的踪迹，但离文明中心较远，长期以来被视为“化外之地”。按禹贡九州之说，岭南不在“九州”之列，属于“五服”最外一层，即未开发荒芜之地。岭南只是为中原所知，了解甚少。

商代时期，岭南称“越”，周代时又称“百越”、“百粤”、“扬粤”、“南海”等，春秋战国时称“南越”、“南武”、“南粤”等。衰周之际，此地与位居长江中下游的楚国、吴国、越国已经有来往，广州一带得名“南武”、“楚庭”。明代在越秀山上建有一座石牌坊，上书“古之楚庭”。

随着中原文明向外扩张，岭南受到中原、荆楚、吴越、巴蜀礼乐教化的影响，逐渐摆脱蒙昧状态，步入文明轨道。其中，由于地理、语系、人种等接近，荆楚和吴越对岭南影响最大，中原文化传入岭南往往需要荆楚和吴越作为中介，势必打上荆楚和吴越文化的烙印。《国语·楚语》说：“赫赫楚国，而君临之，抚征南海，训及诸夏，其庞大矣。”楚国一直谋求向南扩张，公元前382年，楚悼王任用吴起为令尹南平百越，荆楚文化随着军事征服而长驱直入。《左传·襄公十三年》记载：“浙有蛮夷，奄征南海。”位居长江下游的吴越也试图对岭南施加影响。

过去史学界和考古学界对岭南地区的文明进程进行分析时普遍认为，秦平岭南之前，广州地区尚未建城，广州建城史最早应溯源于秦汉之际任嚣所建番禺城。但是，按照著名历史学家陈泽泓的推论，先秦时期岭南完全有可能出现方国、古城，广州实际建城时间应再往前推600年，“南武”、“楚庭”应是广州最早的名称。随着近些年考古的新进展，这一推论得到越来越多的佐证。现在通常认为，先秦时期的番禺即吴、越、楚等国属下的小土堡，这在文献中时有反映。明代郭棐《广东通志》说：“开楚亭，曰南武”，估计楚亭（楚庭）只算是个据点一类的东西，而南武则是有少量士卒驻守的小土堡。

“南武”是目前已知的关于广州建城最早的说法。关于建城者，一般有两种说法：一说是楚国国相高固，一说是越国国相公师隅。

由于楚国对岭南文化影响较大，不少人认为“南武”应是楚人所建。相传楚国灭亡了越国后，楚威王起用南海人高固做楚国国相。高固英姿飒爽、威武雄壮，且天资聪颖、才华横溢。任楚国国相时，高固以周礼教化楚人，使楚人由蒙昧野蛮状态转而崇尚礼仪节气，也使楚国成为文武并重的强国。后来，年迈的高固归乡养老，便在越秀山下建了一座“南武城”，并修筑“楚亭（楚庭）”，用来向楚国称臣朝拜，表示岭南乃楚国领地。这个说法有一定的可信度，反映出荆楚文化对岭南文化的深刻影响。

另一种说法也有可信之处。据说春秋时越国国相公师隅按照周代典章制度和规格风韵建造南武城。据《白云越秀二山合志》记载，当时三晋韩赵魏中属魏国最强，越王一直想增强在中原列强中的影响力，打算与魏国通使建交，便派遣公师隅前往南海未开化之地寻求犀角、象齿等奇珍异宝献于魏王。公师隅到此地后便筑造了南武城。清人屈大均《广东新语·宫语》对公师隅建城事迹有更加详尽的记载：

南越王宫室是在楚庭的基础上建造的。东周时，周惠王恩赐楚子熊恽土地，下诏说：“镇压楚地南方的夷越叛乱。”于是，南海便臣服于楚，建立了楚庭。越本是扬越，至此成了荆越，本是蛮扬，至此成了蛮荆。地归楚国所有，还建造楚庭向楚国朝拜。赵佗效仿，在此地设台朝拜汉朝，而城池则是以南武为开端的。

周赧王时，担任越国国相的越人公师隅曾到过南海。当时，越王无彊被楚国打败，子孙流亡南海，争相自立为王。公师隅以无疆为避楚祸迁居东武时有怪石漂浮来镇压此地为由，将此山命名为东武山。后来，公师隅在南海依山傍水之地筑造城池，为了别于东武，便命名为南武城。然而越王最终没有迁居此处。

当时，越王想联合魏国，便派遣公师隅再度前往南海搜求宝物呈现给魏王。公师隅长期外出，获得许多奇珍异宝，越王将这些宝物与吴江的楼船和会稽的竹箭一并进献给魏王。魏王收下宝物，便派兵护送越王到楚地，栖身于沅湘之地，南武疆土纳入越国版图。

有人说，据《吴地志》记载：吴中有南武城，是吴王阖闾为了抵御敌军而筑。还有人说，当初，吴王的子孙避灾而躲到南岭，也曾筑造南武城，到越国消灭吴国时，南海也纳入其版图。后来，越国被楚国所灭，越王子孙从皋乡入始兴，令公师隅修吴国南武城。再后来，赵佗建立南越国在此建都，自称南武王，宫殿也号称南武宫，就是仿效南武之意。位于越秀山下的赵佗的宫殿实际上是楚庭旧址。

不管哪种说法属实，南武城在先秦时期就已存在当属事实。陈泽泓在分析了大量关于南武城的资料后，也证实了这一点。他还认为“南武”得名至少有三个来源：一是认为此名本为越国旧有的地名，楚国灭亡越国后，由公师隅在今天的广州所在地建城，并沿用了故国的名称；二是认为秦平南越以前此地已有南武城之名，筑新城后仍沿用旧名；三是认为赵佗号为南越武帝，将南海郡改称南武郡，以郡名命名城市。如此看来，如果古籍中的记载能够被确认的话，似可证明“南武”先秦建城说有一定的历史事实作为基础，然而文献记载毕竟不同于出土文物。按照王国维先生提出的地上文献与地下文物相结合从事历史考证的“双重证据法”来看，“南武”说长期以来只是推想，只能存疑。数十年来的考古发现大致可以证明“南武”说的真实性。

“楚庭”之说就更加扑朔迷离。明代嘉靖时期的《广东通志》认为“楚庭”可以视为城池，是番禺城的前身。明代万历时期的《广东通志》也说：“开楚庭，曰南武。”按照清代顾祖禹《读史方舆纪要》的描述，楚庭应当被理解为位于南武城内的官衙、祭祀和议事场所或者标志性建筑，楚庭与楚国有密不可分的关联。楚庭是否为城姑且不论，但肯定是此地的统治中心，后来任嚣所建番禺城应该是在此基础上兴建的，而非在荒郊野外腾空而起。“楚庭”始建的时间有三种说法：西周说、春秋说、战国说。三种说法都强调，今日的广州一带属于楚国管辖范围。事实上，春秋中晚期，楚国势力已经抵达湖南南部和广东境内，荆楚势力在此地有一定渗透，不一定进行直接治理。这种方式促使广州成为交易奇珍异宝的南方都会，并加速了其与海外世界的贸易往来。因此，当晋国炫富之时，楚王很有底气地说：“黄金、珠、玑、犀、象出于楚，寡人无求于晋。”“楚庭”则是表明南海之地臣属于楚国的一种象征性建筑。

“南武河山在，北窗花竹幽。”南武城历经风雨洗礼一步步走来，只是喧嚣殆尽，繁华已逝，河山空在，唯有荒台犹存，花竹独幽。何其凄美！

广州（番禺）建都不久，就扮演着岭南商贸中心以及南越与海外贸易中心的角色。《史记·货殖列传》盛赞番禺都会的繁华，并将其列为当时全国十九个大都会之一。自唐宋变革以来，中国经济中心南移，广州在中国历史的舞台上扮演着越来越重要的角色，尤以商业都会名闻天下。宋代广州城郭庞大，相传有八大“卫星城”。清代在广州设十三行，没有十三行，就没有广州“千年商都”的美誉。

广州历史悠久，文物遗址齐聚地下，有“12 朝 27 层藏宝图”之誉。广州历史堪称层累的城市编年史的典范。

近些年，在广州发现的历史遗址众多，除南越王墓之外，还有南越国宫城北宫墙、南越国木构水闸遗址、汉、晋、南朝、唐、宋、明历代城墙遗址、南宋水关遗址、宋代古河道遗址、明西城门瓮城遗址、清代衙署，还有数量繁多的生活排水渠道和道路、房址、水井、灰坑等生活遗存。

值得一提的是，从建城伊始，城市中心就没有大变动的大城市举世罕见，除广州外就只有罗马和亚历山大。

（二）广州别名“番禺”由来

那么，广州为何有那么多的别名？诸多别名由何而来呢？

南武、楚庭由古文献记载而来，任嚣城因任嚣主持建城而以其名字命名，南海因南海郡而得名，越秀城因南越王建都在越秀山附近。

历史上，广州、番禺、南海的称谓经常交替使用，三者可以互指。据现有文献来看，“番禺”之说最早见于《山海经》，是作为人名或族名使用的。作为地名使用最早见于西汉前期的《淮南子》。番禺城草建于秦始皇三十三年（公元前214年），南海郡尉任嚣主持修筑，又称任嚣城，是南海郡和番禺县治所。关于“番禺”之得名，历来众说纷纭，概有三端：一是“二山”说。《后汉书·地理志》、《元和郡县志》及《初学记》等均认为番禺县治有番山、禺山，因以得名。番禺因二山而得名之说，相沿已久。二是“一山”说。即番山之隅说，禺，即隅，指附近的地方。郦道元《水经注》记载：“县名番禺，谓番山之禺也。”三是“蛮夷之地”说。秦至汉初，番禺的“番”，写作“蕃”，与“藩”通。即番蛮、蛮夷之意。《周礼·秋官》云：“九州之外谓之蕃国。”禺，犹隅，指区域、边远之地。秦汉之前，番禺一带僻处一隅，中原人视之为边远的蛮夷之地，因以为名。

古已有谚：“北人不识番禺，南人不识盩厔。”其中，“番禺”读音“pān yú”；“盩厔”读音“zhōu zhì”。屈大均《广东新语》说，用禺字为地名只有广东才有。北方一般不用番禺作地名，故北方人不知道番禺；南方一般不用盩厔作地名，故南方人不知道盩厔。

“番禺”是古代越人土语。按壮族语系，“番禺”似可理解为越族土著聚集的村落。按《越绝书》所记，“番禺”可译作“咸村”，“番”即村落之意，“禺”即盐的味道，“咸”之意，“番禺”的意思便是土壤多盐、水质偏咸的村落。无论是理解为越人聚集的村落还是水土盐碱的村落，都反映出番禺在先秦时期就已经是岭南重要的地名，且其得名在一定程度上反映了它的自然和人文状况。

古代番禺很可能不是专指一座城池，而是一片区域。屈大均《广东新语》说，番禺之山巍峨起伏，延伸地域广阔，秦汉时期，这一带统称为番禺，秦朝时的番禺县地域十分辽阔，东达罗浮山，南达九龙，西连四会，北接清远。

（三）广州别名“羊城”、“穗城”由来

羊城、五羊仙城的得名源于“五羊降于楚庭”的神话。清人顾祖禹《读史方舆纪要》称，相传南海人高固担任楚威王国相时，有五只羊口衔稻谷和皮革立于楚庭。羊历来被视为物阜民富的象征，高固认为五羊并现是极大的祥兆，于是令人扩建南武城，方圆十里，号称“羊城”或“五羊仙城”。

关于羊城、五羊仙城的称谓，还有其他说法。相传先秦时期楚庭连年灾荒，田地荒芜，颗粒无收，百姓流离失所，陷入绝望的深渊。某日，天空中浮现五朵祥云，祥云之上站着五位身穿五色彩衣、骑着五只颜色各异的仙羊的仙人，每只仙羊口衔一棵有着六颗穗子的稻谷，缓缓地降落在楚庭。仙人将六穗稻谷赠予百姓作为种子，教百姓农艺，还将五只仙羊留下繁衍牲畜。百姓按照仙人指点，第二年就获得了大丰收，楚庭成为富庶之地，以其物华天宝、人杰地灵为世人津津乐道。后来广州便有了“羊城”、“五羊仙城”的别称。因为仙羊口衔奇特的稻穗，广州也被称为“穗城”、“穗垣”。后来广州百姓建造了“五仙观”纪念五位造福一方的仙人。

另一种说法是这样的。从前，广州发生过一次大饥荒，百姓无米下锅，可是当地官府、豪霸仍像强盗一样催缴粮食。广州城外山坡下住着

父子二人，因无粮可交，父亲被抓走，官老爷逼迫儿子三日之内交齐粮食，否则斩杀其父。少年十分孝顺，却实在无粮可交，不禁失声痛哭，声彻云霄，感动了天上的五位神仙。仙人们骑着五只口衔稻穗的仙羊降临少年家中，将稻穗交给少年，让他把谷粒种到土中，天亮后就能收获许多稻谷。少年谨遵吩咐，次日清晨果然收获了大量稻谷。父亲得救，但少年一夜之间获得如此多的稻穗，引起了官老爷的疑惑和嫉恨。官老爷声色俱厉地责问少年缘由。威逼之下，少年只得实言相告。官老爷心中暗喜：若把五位仙人抓来，岂不是可以升官发财了吗？利欲熏心的官老爷立即令差役到山上捉拿仙人。少年感到事情不妙，便急忙向仙人报信。仙人点头称善，嘱咐少年将剩余的谷粒种到地里，官府就抢不走了，百姓就可以丰衣足食。待差役赶来，仙人化作白雾飞上天空，只留下五只仙羊，差役刚要伸手去抓，五只羊簇拥在一起变成一块大石头。后来，当地人就称广州城为"羊城"或"五羊仙城"。今日，在越秀山上，游客依然可以看到那五只石羊，中间的一只公羊，口衔谷穗，昂首天外，昭示吉福祥瑞。

虽然这些都只是传说，但却反映出广州城丰富的历史文化内涵。五色彩衣是黄河流域文明的象征，"衣冠"南移是中原文明传入岭南这一史实的反映。羊原产于北方，随着史前拓殖的南下而被引进，可见广州城自古以来就是一个深受中原先进文化影响的移民城市。今日，"羊城"成为广州的别称被用于社会生活的方方面面，书籍报刊有《羊城古钞》、《羊城晚报》等，旅游名胜有"羊城八景"，楼宇商标、企业社团也多以"羊城"命名。"五羊飞仙"的神话对广州城历史文化积淀有至深至远的影响。

第十三章

我的家在哪里：客家人的寻根之旅

作为岭南文明的开拓者，作为龙川文化的奠基人，赵佗在客家人的历史上发挥着不可磨灭的作用。号称“世界客都”的梅州和号称“客家古邑”的河源，将赵佗尊奉为客家人的始祖，当属实至名归。直到今日，在中华文化寻根之旅中，客家人依然在坚守着自己的精神家园。

客家人，又称为客家民系，是一个具有显著华夏特征的汉族民系，也是汉族在世界上分布范围最广、影响最深远的民系之一，广泛分布于中国南方的广东、福建、江西、湖南、广西、台湾、香港、澳门以及东南亚、欧美等地。千百年来，原居黄河中下游流域的中原华夏族居民不断南迁，与当地土著居民通婚杂处，经千年演化而最终形成相似文化特征的客家民系。

近些年，学术界将客家人起源往前推至秦汉时期，其中赵佗建国南越、主政岭南对客家人形成起着至关重要的作用。

南越国建立后，为巩固政权、开发岭南，赵佗迁居大量军士和工匠到所属郡县和北部边境建城修堡、扼关筑塞、兴修水利工程等。派往各处的军士和工匠人数不等，多则数万户，少则几千人，这些移民大多客居当地，与当地土著居民融合。赵佗还进一步在南越国全境推行“和辑百越”政策，中原人与越人杂居共处，在长期的共同生活中，他们形成了共同的文化和心态。客家人便起源于斯。

汉武帝平定南越国，将岭南纳入中原朝廷的直接管辖后，又迁移大量官吏、士卒、百姓等客居岭南，分驻于各郡县及军事要冲。到西汉元封元年（公元前 110 年），闽粤赣边区就是以中原移民为主体的了，岭南一带中原移民及移民后裔数量大大增加，占总人口的比重也呈显著上升趋势。

秦汉时期北人南迁是客家人形成的“源”，至于西晋衣冠南渡、唐末流民运动、宋室南迁、大明衣冠沦丧时期形成的客家人则只能算是“流”。

赵佗在缔造南越国时也构建了岭南文化的基石。“和辑百越”政策包含了各种制度上和文化上的兼收并蓄，海纳百川。在精神文化上，传播和普及中原文化的同时，结合百越文化的优长，发展出各种有异于中原文化的品质，这就需要开放包容的胸襟，并使之付之于行动，最终使得汉越文化融合，播下岭南和谐的种子。中原人长途跋涉到达岭南，与土著人发生冲突在所难免，正是由于主政者的开阔胸襟，才使得汉越民族和谐共生。如果作为最高行政长官的赵佗本人没有开放包容的气量，客家人的形成只是一句空话。

作为岭南文明的开拓者，作为龙川文化的奠基人，赵佗在客家人的历史上发挥着不可磨灭的作用。号称“世界客都”的梅州和号称“客家古邑”的河源，将赵佗尊奉为客家人的始祖，当属实至名归。直到今日，在中华文化寻根之旅中，客家人依然在坚守着精神家园。

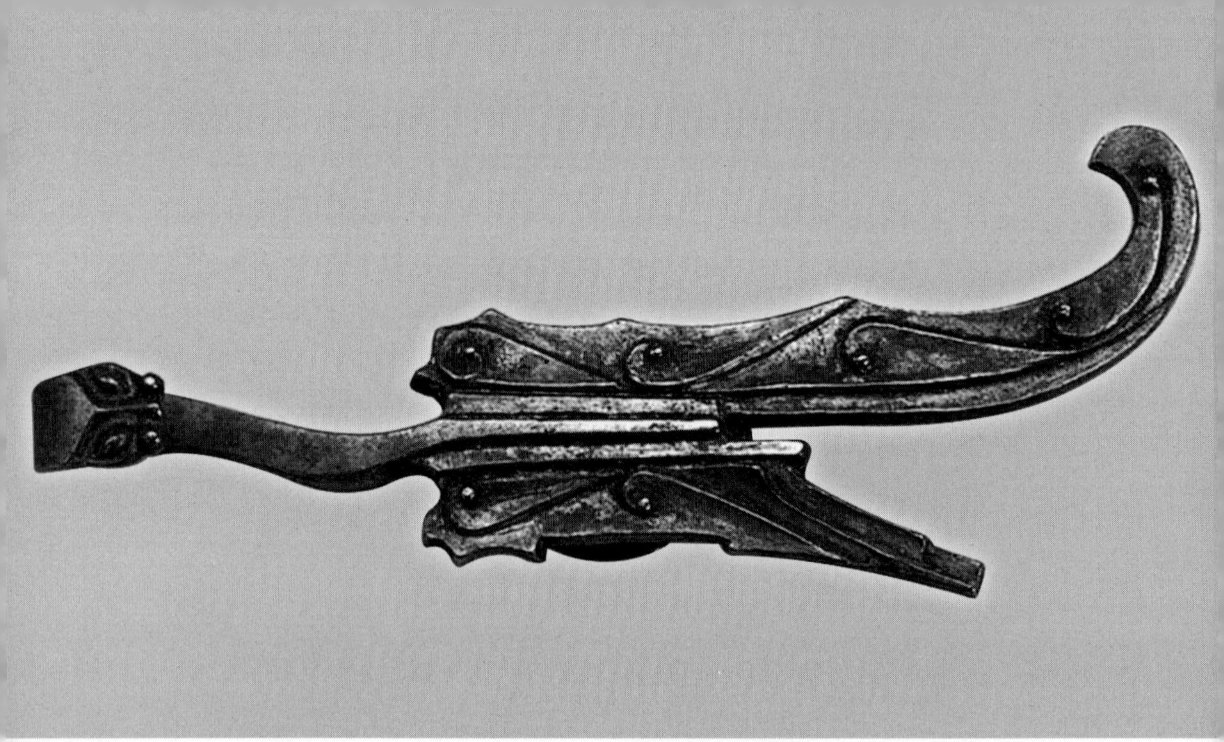

尾　声

流散各地的赵佗后裔们

神话是历史的起源，看似云里雾里的传说似乎隐藏着某些历史信息。人们在有意无意中创造着历史。

有文献认为，夏桀的幸臣赵梁是赵姓始祖，赵姓出自河南。也有文献认为，封地在赵城的造父以封地为姓，是赵姓的始祖，赵姓出自山西。两种说法虽各执一词，却有个共同点，即认为嬴、赵两姓本是一家，战国时期秦、赵两国宗族同出一源。据清代康熙年间《肥城赵氏族谱》记载，战国末期，赵国被秦国所灭，子民星散，流徙九州，宗室子弟和故赵遗民皆以国为姓。赵国宗室赵嘉审时度势，顺天应时，归附了秦王嬴政。由于秦、赵同宗，故而赵氏贵族受到秦始皇器重，并在秦朝大一统进程中发挥了积极作用。后来，赵氏世居甘肃天水，形成赵氏郡望。汉代经略西域功勋卓著、名垂青史的赵公辅、赵充国便是天水赵氏的代表。后因天水赵氏地望而建有天水堂。据传常山赵子龙生长于恒山郡故地，应该与赵佗是同宗。

除甘肃天水外，中原文化圈的涿郡、颍川郡、南阳郡、下邳郡等地也是赵氏郡望。

赵氏南下百越则是从赵佗开始的。赵佗是故赵宗室贵族，与秦始皇的关系算是远亲。

南越国破，赵佗后裔流落岭南和越南各地，在长期的历史演进中涌现出许多杰出的历史人物，如赵国达和赵贞兄妹，赵肃和赵光复父子，等等。

赵夫人（公元225年—248年），名赵贞，越南人称之为赵贞娘、赵妪、婆王，曾领导越人反抗三国时期孙吴政权的横暴统治，被视为越南的“圣女贞德”。

南越国灭亡后，西汉政府大肆搜捕赵氏宗室，宗族子孙辗转流离，四处逃难，有一支流落到九真郡军安县（今越南清化省赵山县纳山一带）定居下来，到公元3世纪时已经发展成为当地颇有影响的豪门大族。赵贞和其兄长赵国达就出生于这个家族。越人不堪忍受孙吴政权的统治，纷纷发动起义。公元248年，赵国达、赵贞兄妹带领当地越人揭竿为旗、斩木为兵，奋勇抗击吴军。传说赵贞身长九尺，作战时身穿盔甲，头插金簪，脚穿象牙鞋，骑在象头上冲锋陷阵，深深感染了越人，交趾、九真二郡百姓云集响应。起义军多次大败吴军，杀死交州刺史等官吏。吴军闻风而逃，朝野传言“横戈当虎易，对面婆王难”。

赵贞斗争十分坚决，有人劝说她应该找个如意郎君出嫁，不应做些打打杀杀的事情，她义正词严地说：“我要乘劲风、踏恶浪，斩杀东海的鲸鱼，驱逐吴军，光复河山，砸烂奴隶枷锁，决不卑躬屈膝地做人家的妻妾！”

起义之势如燎原之火愈演愈烈，孙吴特派名将陆胤担任交州刺史，率领八千精锐前往镇压。名将出马，起义迅速被平定。赵贞兵败拒降，在松山附近投江自尽。

另一支赵氏后裔赵肃、赵光复也是越南历史上叱咤风云的人物。赵肃、赵光复父子活跃于公元6世纪，约相当于中国的南北朝后期的南朝梁、陈时期。

赵肃是万春国开国君主李贲麾下的左将军，在军政界享有崇高威望。

李贲为感谢赵肃父子的鼎力相助，修建了一座庙宇，供奉赵氏同宗的赵贞为神灵，历代香火不绝。

在中国梁朝军队的沉重打击下，李贲数度逃奔屈獠洞蛮族部落，最终病逝于此。

李贲死后，万春国内忧外患，赵肃的儿子赵光复趁机攫取政权，自立为赵越王。越南古籍《岭南摭怪》中专辟《一夜泽传》，讲述了赵光复在一夜泽地区称王的故事。梁朝派遣大将陈霸先前往攻打万春国，赵光复领兵藏匿于一夜泽，泽大深阔，易守难攻。赵光复命人打造许多独木船，突出突入，劫取大量粮草，梁朝军队进不得又退不得，一时陷入困境。陈霸先只得无奈地哀叹："古谓一夜升天泽，今乃一夜盗劫泽。"后来，梁朝爆发了"侯景之乱"，陈霸先被朝廷召回，裨将杨孱继任，梁军暂退。为庆祝胜利，赵光复夜间设坛于泽中，焚香致祷，忽然看到一位神仙骑着蛟龙升腾于泽中，对赵光复说："我升天的地方尚有灵光异象。你如果能诚意祈祷，我就会前往救助，助你一举实现匡定之志。"说着，神仙就把龙的爪子脱掉交给赵光复，说："带着这个东西，可以所向披靡。"说罢便升空消失。赵光复得到宝物，军心大振，奋身突战，大败梁军，斩杀杨孱于阵前，迫使梁军退兵。后来听说李贲已死，赵光复就在一夜泽自立为赵越王。

李贲的另一员悍将李佛子也与赵光复为敌，几经交战，难分胜负，后签订合约划界而治。后来李佛子设计攻破赵光复，赵光复兵败溃逃，在追兵威逼下投海而死。

北宋初年编写的《百家姓》开篇"赵钱孙李，周吴郑王"，将赵姓列为首姓，这当然与宋朝统治者姓赵直接相关，也反映出赵姓在中国姓氏文化中的地位。

赵姓不仅是中原汉族之中的大姓，在少数民族之中也为主要姓氏之一。

赵佗的后裔们依然在岭南和越南各地散居，在与各民族杂处的过程中逐渐融入当地民族之中。

南越国苍梧王赵光本是赵佗族弟，却在南越国覆亡之际见风使舵归顺汉朝，被汉武帝封为随桃侯。现在南方不少民族中的赵姓便来源于赵光。

瑶族赵姓在中国南方颇具盛名。与大多少数民族赵姓不同的是，瑶族赵姓有关于赵姓始祖的文献记载。不过，令人惊奇的是，瑶族赵姓的先祖竟然是一只名叫盘夸的龙犬。

传说，瑶族早年有一位受人爱戴的评王。某日，评王在瑶池仙境游玩，偶获龙犬一只，身长三尺，毛色黄斑，能通人语。评王十分宠爱它，为它取名盘夸。其时，有一位高王，兵强马壮，率兵侵略评王。评王被打败后，只得将爱犬盘夸献给高王求和。高王得到盘夸后，仍不放过评王，时时加以侵略掠夺。龙犬盘夸是一只神物，对高王的霸道行径十分不满。况且盘夸与评王已经有了深厚的情谊，便决定惩罚高王，为饱受战乱之苦的老百姓除去祸首。某日，盘夸趁高王酩酊大醉，近侍又疏于防范之际，以迅雷不及掩耳之势扑向高王，将高王的首级咬下。随后，狂奔七昼夜，将高王的首级献给评王。盘夸因劳累过度，四肢鲜血染地，昏倒在评王宫殿之上。评王急宣太医诊治，将盘夸从危亡之中救活。评王见盘夸为一龙犬，竟懂得如此感恩图报，甚是感动，决意给盘夸以重奖。评王问盘夸要什么赏赐，盘夸回答："评王曾有令，谁能除去高王，谁就可以与公主成亲。我要求评王信守此诺。"盘夸的要求可把评王给难住了。不同意盘夸龙犬的要求，自己就失信于天下；如果同意盘夸龙犬的要求，岂不断送了公主一生的幸福。评王左右为难，终日忧心忡忡。公主被盘夸的壮举所感动，决心与盘夸成亲。盘夸进入深山老林与公主完婚后，一夜之间竟变成了一位英俊少年。几年之中，公主一连生下六对龙凤胎。评王得知自己有了六男六女十二个小外孙，说不出有多么高兴，于是传旨敕封盘夸为瑶族始祖盘王。与此同时，评王还给自己的十二个外孙分别敕姓为：盘、沈、包、黄、李、邓、周、赵、胡、唐、雷、冯。被敕赵姓的是第八子，名叫赵瑞封，封都尉补充国公。赵瑞封即是瑶族赵姓的始祖。

神话是历史的起源，看似云里雾里的传说似乎隐藏着某些历史信息。人们在有意无意中创造着历史。其实，赵瑞封问世已经到了南宋时期。这段神话传说可能是宋代之前瑶族赵姓的历史经过艺术加工而来的。有学者指出，评王和龙犬的故事隐喻着赵佗早期经略岭南的某些史实，赵佗才是瑶族赵姓的始祖。

在古代越南，曾有南诏国建立者是“赵武帝佗之后”的说法。越南古籍《岭南摭怪·南诏传》提出历史上的南越国被汉朝灭亡后，赵佗的子子孙孙各散四方，繁衍不绝，有一支后来在越南北部地区杀戮汉吏，称雄一方，民众畏服，称之为“南赵”，由于“南赵”与“南诏”谐音，便演变为南诏国是由赵佗后裔建立的说法。这种说法是越南人夸耀本国历史捏造出来的，后被中国学者戴可来用大量证据驳斥。

不得不提的是，南戍秦军的后裔广布于岭南大地，大多与当地人融合在了一起。其中，林寨林氏是目前赵佗军队后代中少数有史可考的。林寨并非因有茂盛的森林而得名，而是袭用秦朝南越王赵佗的一位林姓镇隘头目的姓氏而来，至今已有两千多年的历史了。林姓人在林寨世居，称雄一方，后繁衍分居邑内外各乡。林寨林氏是南戍秦军的后裔的一个缩影，成为这段伟大历史的活化石。

图书在版编目（CIP）数据

南越王国传奇 / 单磊著. —北京：中国国际广播出版社，2014.6

（北望长安系列丛书）

ISBN 978-7-5078-3698-1

Ⅰ.①南… Ⅱ.①单… Ⅲ.①南越（古族名）—研究 Ⅳ.①K289

中国版本图书馆CIP数据核字（2014）第025067号

南越王国传奇

著　　者	单　磊
责任编辑	赵　晶　廖小芳
版式设计	国广设计室
责任校对	徐秀英
出版发行	中国国际广播出版社（83139469　83139489[传真]）
社　　址	北京复兴门外大街2号（国家广电总局内） 邮编：100866
网　　址	www.chirp.com.cn
经　　销	新华书店
印　　刷	环球印刷（北京）有限公司
开　　本	710 × 1000　1/16
字　　数	120千字
印　　张	13.5
版　　次	2014 年 6 月 北京第一版
印　　次	2014 年 6 月 第一次印刷
书　　号	ISBN 978-7-5078-3698-1 / K · 247
定　　价	29.80 元

CRI 中国国际广播出版社　欢迎关注本社新浪官方微博　官方网站 www.chirp.cn